[英国] 柯南·道尔 著
喵博士 改编

大侦探福尔摩斯

SHERLOCK HOLMES

归来记

译林出版社

人物档案

华生

华生——医生，伦敦大学医学博士，福尔摩斯的最佳拍档。他用心记录下福尔摩斯精彩的破案过程，并公之于世。

福尔摩斯

福尔摩斯——闻名世界的大侦探，居住在英国伦敦的贝克街221B。他善于通过观察和推理来寻找事件的真相，破案时有如神助，总是能洞察一切。

莫兰上校

莫兰上校——邪恶犯罪头领莫里亚蒂教授的手下，枪法精准，对莫里亚蒂忠心耿耿，在莫里亚蒂死后一直想要为他报仇。

麦克法兰

麦克法兰——年轻的律师，被警方认定谋杀了一位知名建筑师，但他坚称自己是无辜的。

密尔沃顿

密尔沃顿——伦敦城里臭名昭著的敲诈者，手里掌握着许多人的秘密，通过敲诈别人发家致富。

索姆斯老师

索姆斯老师——圣路加学院的老师，奖学金考试的出题人。考试前一天，有人闯进他家偷看了考题。如果不能找出偷看试卷的人，学院的荣誉就会毁于一旦。

目录

SHERLOCK HOLMES

Sherlock Holmes

空屋谜案

福尔摩斯失踪后，华生过着平淡的日子，偶尔也会关注一些离奇的案件。一转眼，几年过去了，一个重大案件轰动了整个伦敦城。伯爵的儿子在自己家中被人枪杀，凶手却没有留下任何蛛丝马迹。华生来到案发现场勘查，遇到了一位神秘老人……

“重大新闻！贵公子离奇死亡！案情**扑朔迷离**，真凶毫无踪迹！”1894 年春天，发生在伦敦郊区的一起案件轰动了整个城市。

被害人是一位伯爵的儿子，名叫阿德尔。他被害前，和妈妈、妹妹一起住在伦敦郊区的花园路。

警察迅速展开了调查。面对警察的询问，家里的女仆瑟瑟发抖地回忆起了当时的情景。

那天晚上，伯爵夫人和女儿一起去亲戚家串门，晚上十一点多才回来。夫人想去跟儿子道声晚安，谁知，阿德尔的房门从里面被**反锁**了，不管她怎么叫门，里面愣是一点儿动静都没有。夫人急坏了，连忙叫人把门撞开！房门打开的一刹那，所有人都吓得**目瞪口呆**……只见阿德尔倒在椅子上，一动不动，脑袋上被人开了一枪！

屋里没有任何武器。桌子上堆着一些**钞票**和**硬币**，旁边还有一张**小纸条**，上面记录着这些钱的数额和几个牌友的名字。阿德尔平时喜欢到俱乐部去打牌，那天晚上也去了，大约晚上十点回到家中。看起来，案发时，他正在计算打牌的输赢情况。

这案子实在是不同寻常！房门从里面被反锁，那凶手是怎么出去的呢？难道是跳窗？但窗户距离地面有九米多高，墙上没有任何东西可以借力。而窗下的花坛鲜花盛

开，没有一丝被踩过的痕迹。所以，凶手跳窗的可能性很快就被排除了。

那么，是有神枪手从窗户对面开枪吗？这也说不通。因为离这栋房子不远处就有一个马车站，整日**车水马龙**，人来人往，怎么会没人听到枪声呢？警方只好从作案动机入手。谁会有动机去杀害这位贵族先生呢？

家里的财物都没有丢失，因此肯定不是抢劫杀人。警方发现，这位阿德尔先生订过婚，但几个月前取消了婚约。案件会不会跟这有关？可是，据说他和未婚妻都是自愿退婚的，没看出谁还有什么留恋之心。

警方又从阿德尔常去的俱乐部的牌友那里了解到，他平时打牌很谨慎，不怎么输钱。遇害那天，他输了几英镑，但这点儿钱对他来说根本不算什么。倒是几个星期前，他和莫兰上校搭档，赢了几百英镑，那可是一笔不小的数目。

警方虽然掌握了这些信息，但还是**一筹莫展**。

这个案子引起了华生的注意。几年前，他的好搭档福尔摩斯坠下瀑布，消失得**无影无踪**。从此，华生告别了陪着大侦探一起破案的生活。不过，他还是不知不觉会留意各种离奇的案子，并尝试着按福尔摩斯当年教他的办法，去寻找案件的**蛛丝马迹**。

这天，他来到案发地附近的街口，想实地勘查一番。当年，福尔摩斯总教导他，要想破案，就得善于观察，善于推理。

他绕着房子转了一圈，没有发现任何有用的线索。街口聚集着一群**游手好闲**的中年男人，他们在争相猜测阿德尔的死因："啧啧啧！肯定是赢钱太多，被嫉妒他的牌友杀死了！"

真是肤浅！华生边想边摇着头退出了人群。哎哟！一不留神，华生撞到了身后一位弯腰驼背的老人，老人怀里的书**哗啦啦**掉了一地。

"对不起，对不起！"华生连忙道歉，并弯腰帮他捡书。老人看起来很爱惜那些书，他生气地瞪大了眼睛，朝华生大吼了一声，随后捡起书头也不回地走了。

"唉……"华生这趟**一无所获**，他一边叹气，一边耷拉着脑袋回家了。

还没等他坐下喘口气，女仆突然来报："先生，有客人来了！"让人意想不到的是，来者不是别人，正是刚刚那位古怪的老人。老人瘦削而轮廓分明的脸上，长着灰白的络腮胡子，他的左腋下还夹着十几本宝贝似的书。

“没想到是我吧？”嘶哑而低沉的声音从老人灰白浓密的络腮胡子缝隙里飘了出来。

华生轻轻地点了点头。

老人解释道：“真是不好意思，我一瘸一拐地跟过来，一点恶意都没有，只是为了表达歉意和感谢。我知道您是一位儒雅善良的绅士，刚刚是我态度不好，谢谢您帮我捡书。”

“哪里哪里！您太客气了。”

“先生，我们或许算是邻居。”**古怪的老人**眯起眼睛笑着说，“教堂街拐角那家不起眼的小书店，就是我开的。您大概也收藏书吧？嘿嘿，我店里的书很便宜，买上五本刚好能把您书架的第二层填满。您身后的这个书架看起来可不太整齐，先生！”

华生立刻扭头看向身后的书架，等他回过头时，眼前的一幕把他**惊呆**了。华生吃惊地盯着对方，眼前仿佛有一团白雾在打转。

“亲爱的华生。”等他清醒过来的时候，耳边响起一个熟悉的声音。

“啊！”华生激动得浑身颤抖，他一把抓住对方的双臂，喊道，“福尔摩斯！真的是你吗？**你还活着**！”

“是的，但是我很抱歉，没想到我的突然出现让你受了这么大的刺激。”

“没事了，没事了！福尔摩斯，谁敢相信呢？我做梦都没有想到，你居然会这样出现在我的书房里！我简直太高兴了！先坐下来，快告诉我，你究竟是怎样从深不见底的**大峡谷**逃出来的？”

福尔摩斯在华生对面的椅子上坐了下来，还是老样子，若无其事地点燃了**烟斗**。他雄鹰般机敏的双眼眨了眨，说：“原因很简单，我压根儿就没有跌入谷底。”

“什么？”华生一脸难以置信的表情。

“是的，华生。你还记得当时的场景吧？”福尔摩斯回忆道，“莱辛巴赫瀑布在半山腰，要抵达瀑布，必须走过一条极其狭窄的小路，小路的一侧是**悬崖峭壁**，另一侧是万丈深渊。我抬起头，发现阴险的莫里亚蒂教授就堵在返回的路上。我明白，自己的末日已经来临了。他步步紧逼，我只好步步后退，一直退到小路的尽头，也就是瀑布的边上。此时，我已经无路可退了，他突然发疯似的朝我扑了过来，我们俩撕扯扭打在一起。这时，我的一点摔跤本领派上了用场。我一个转身，猛地甩开他的双臂。他发出一声哀号，身体剧烈摇晃，双手在空中拼命地乱抓乱舞，最终，他还是失去了平衡，像石头一样直直地坠向深渊。我到边上探头望了一下，他掉到很深的谷底，先是撞在一块岩石上，随后又弹起来掉进水里，估计当场**一命呜呼**了……”

华生听得目瞪口呆。可他之前的疑惑还是没有完全解开，他问道：“可是，那些**脚印**呢?！我看得一清二楚，那条小路上只有两对朝瀑布走过去的脚印，并没有回来的脚印！那你究竟是怎么从大峡谷中出来的？”

福尔摩斯往椅背上一靠，继续说道：“就在莫里亚蒂教摔掉下去的一瞬间，我突然想到：这难道不是上天安排的一次绝好的装死的机会吗？想害我的人绝不止莫里亚蒂教授一个。首领死了，同伙报复的念头只会如同熊熊火焰越烧越旺。我猜，他们也许就躲在不远处。如果我当时原路返回，非常可能会立即丧命。但要是所有人都以为我死了呢？这些可恶的家伙就会**得意忘形**，放松警惕。那我早晚有机会消灭他们！所以，我必须先躲起来。

“想到这里，我爬起来仔细观察四周。那条小路湿漉漉的，走回去肯定会有脚印。我又抬头仔细看了看，太好了，岩壁上方有一块不起眼的小平台，看起来很隐蔽。要是能爬上去躲起来，那么，所有人都会以为我跟莫里亚蒂教授一起摔下去了。”

华生听着这段**惊心动魄**的故事，胸口剧烈地上下起伏。这时，天色渐渐暗了下来，福尔摩斯望着窗外金色的夕阳，继续不紧不慢地往下讲：

“华生，你知道吗？我当时一个人在峡谷中，轰鸣的水声在峡谷中回荡，瀑布猛烈地冲击着岩石。我似乎听到深渊中传来莫里亚蒂教授的哀号声、咒骂声，仿佛要把我拽下去，跟我**同归于尽**……我醒了醒神，开始手脚并用奋力往上爬。有好几次，我没抓牢踩稳，直接从那湿漉漉滑溜溜的岩壁上咕噜咕噜滚了下来，重重地摔在下面的小路上。我简直快要绝望了！但我还是用尽最后一丝力气往上爬，最后用胳膊和腿撑着，一个翻身爬上了小平台。那上面布满了绿油油毛茸茸的青苔，就像是柔软的毛毯。我静静地躺在上面，舒服极了。那时候我想，谁也看不见我了。”

福尔摩斯顿了顿，接着说：“亲爱的华生，那个时候啊，你正在和你的同伴调查我的‘死亡’现场呢！你们心情悲痛地在周围搜索了一番，一无所获，然后得出了一个完全错误的结论。后来你们都离开了现场，只留下我一个人继续待在幽静的峡谷中。

“我本以为，这场生死攸关的冒险终于落下了帷幕。谁知道，突然飞来几块小石头，砸在我身上。还没等我反应过来，又有一块车轮那么大的巨石从天而降，几乎贴着我的身子飞过，轰隆一声重重地砸在下面的小路上，紧接着，它弹起来，坠入了深深的谷底。我正纳闷呢，这是怎么回事？莫非是山顶上的石头松动了？突然，昏暗的山顶上冒出一个头来，此时我才意识到，事情远远没有这么简单！果不其然，另一块大石头轰的一下又砸了下来，这次直接砸到了我躺着的平台上。显而易见，阴险的莫里亚蒂教授并非孤军作战，他还有帮手在一旁望风。这个家伙一定目睹了全过程，亲眼看到莫里亚蒂教授跌入谷底而我顺利爬上了平台，他正憋着怒气准备报复呢！”

华生不禁倒吸了一口凉气，说：“真是太险了！那后来呢？”

福尔摩斯喝了一口水，接着讲道：“我迅速思考了一会儿。还没等想出个好主意，那张脸又不怀好意地朝下张望。我明白，马上就会有另一块石头砸下来。来不及多想了，我立即爬起来往下跳，打算回到那条小路上。正当我用手指抠

住岩石的缝隙、身体悬在空中时，一块更大的石头轰隆隆地滚过来，擦着我的身体掉了下去。我身子一晃，狠狠地摔到了小路上，鲜血直流。那时候我哪顾得了那么多，只能用尽全力爬起来，沿着小路，踉踉跄跄地朝山中跑去。天早已黑了，我摸黑跑了三十几里山路才逃了出来。”

听到这里，华生既激动又委屈地说：“那你怎么不给我写封信？整整三年了！”

“亲爱的华生，我真的非常抱歉。只有我哥哥知道我的下落。当时，必须让大家都以为我死了。如果你不是确信我死了，怎么能写出那样令人信服的关于我去世的故事呢？在过去三年里，我非常想念你，好几次提笔想给你写信，却又放下，是因为怕你过于关心我而不慎走漏消息。这也是为什么今天你把我的书碰掉的时候，我只能仓皇逃走。当时人多眼杂，一旦你认出我，情绪太过激动，那么后果将不堪设想。”

“那你这三年都是怎么过的？”华生关切地问道。

“我先去了意大利的佛罗伦萨。莫里亚蒂教授的两个同伙还逍遥法外，所以我不能马上回伦敦。后来我去中国的西藏旅行了两年，还去了波斯和法国。最近，得知伦敦的仇敌只剩下一个了，接着又听说了阿德尔惨死的案件，这让我闻到了一丝不寻常的味道。这不，我立刻赶回了贝克街。呵呵，房东太太看到我，可吓坏了！”

福尔摩斯望向华生，说道：“我哥哥始终把我的房间保持原样。今天下午两点，我又坐在屋里的那把旧椅子上，只盼着老朋友你也像往常一样坐在对面。”

倘若不是亲眼见到熟悉的面孔和真诚的眼神，华生大概怎么也不会相信这个令人难以置信的**峡谷逃生记**。这时，福尔摩斯话锋一转，说：“听说……你夫人已经去世了……”华生脸上露出了悲伤的表情。福尔摩斯拍了拍他的肩膀，说：“工作是消除悲伤最有用的解药。今天晚上九点半，跟我体验一场奇特的**空屋探险**吧！”

夜幕降临了，月色溶溶。华生跟着福尔摩斯坐上马车，咔嗒咔嗒地向前奔。华生一只手紧紧攥着口袋里的**手枪**，对这场久违的历险既期待又紧张。一旁的福尔摩斯双唇紧闭，眉头紧锁，板着脸一言不发。这位**叱咤风云**的伦敦猎手，嘴角扬起一丝讥讽的微笑，这似乎预示着，他的猎物快要落网了……

马车停在了一个广场拐角。福尔摩斯四下张望，确定没有被人跟踪后，带着华生快步走向一条偏僻的小道。两人穿过了一条又一条小街小巷，来到一座年久失修的**破旧院子**前。里面没有一丝光亮，想必无人居住。

福尔摩斯从口袋里摸出一把钥匙，借着月光拧开了一扇门的门锁。屋子里一片漆黑，光秃秃的地板一走上去，就发出**嘎吱嘎吱**的声音。如果手不小心碰到墙壁，那破烂不堪的墙纸立刻会像碎纸片般脱落下来。

福尔摩斯用冰凉细长的手指抓着华生的手腕，带他穿过这条长长的走廊，拐进一间方形的屋子。屋里非常昏暗，只有中间有一块地方被远处的街灯映照出些许亮光。

福尔摩斯凑到华生耳边，低声说："你猜我们现在在哪里？"

"这……"华生朝窗外望了望，不觉瞪大了双眼，问道，"嗯？这不是贝克街吗？"

"没错！"福尔摩斯点了点头说，"就在**我们公寓的对面**。"

"啊？"华生大吃一惊，**满腹狐疑**地问道，"我们为什么到这里来？"

福尔摩斯朝外努了努嘴，微微一笑，说："你再仔细瞧瞧！"

华生朝那扇熟悉的窗子定睛一看，原来，对面的黄色窗帘下，映着一个黑色的人影！那扬起的头、宽阔的肩、轮廓分明的侧脸……那……那不是福尔摩斯吗？

“天哪！”华生捂着嘴低声惊叫了一声，“快，快让我摸摸你是不是真的！”华生忍不住把手伸向身旁的福尔摩斯。他的脑袋嗡嗡作响，一时间分不清哪个福尔摩斯才是真的。福尔摩斯捂着嘴笑得全身发颤。

“这可太奇妙了！”华生既惊讶又疑惑，“那简直跟你一模一样！但是，这到底是为什么呢？干吗要摆一个**假人**？”

福尔摩斯收起了笑容，严肃地说道：“因为一直有人在**监视**那座房子！呵，不是别人，正是莫里亚蒂教授的同伙。千万别忘了，他们知道我没死，并且断定迟早有一天我会回来的。今天早晨，他们终于发现了我！”

“哦？”华生更紧张了，问道，“你是怎么知道的呢？”

“因为我们打了个照面！”福尔摩斯说，“今天早晨，我从窗子里认出了放哨的人，而他也看到我了。好在我几天前就找人做好了蜡像，今天又花一下午时间把房间布置成你刚刚看到的样子。这放哨的小喽啰倒是**无足轻重**，真正可怕的是他背后的人，也就是莫里亚蒂教授的好朋友。我敢说，现在他是伦敦最狡猾最危险的罪犯。没错，就是那个在山顶朝我扔石头的人……”

听到这里，华生渐渐明白了福尔摩斯的计划：他要在这座隐蔽的空屋里，反向监视那些监视他的人，从明处转到暗处，化被动为主动。蜡像是诱饵，而他自己才是**真正的猎人**！

寒冷的夜晚，街上冷风瑟瑟，路上的行人越来越少。事情似乎并没有按照福尔摩斯预想的那样发展下去，他没有发现任何可疑人的行踪，忍不住在房间里焦躁地来回踱步。华生不经意地往窗外一瞥，突然发现了一件**怪事**。他一把抓住福尔摩斯的双臂，指向对面低喊：“动了！那影子动了！”

原来，就是刚刚这一会儿工夫，对面窗口的蜡像已经从侧影变成了背影。

“那是当然！”福尔摩斯**轻描淡写**地说，“华生，我难道会像个笨蛋似的，让谁都能看出来那是个假人吗？每隔十五分钟，房东太太就会给蜡像挪动一下，换个姿势。两个小时内已经换了八种姿势了。啊——”福尔摩斯突然惊叫一声，空气仿佛瞬间凝固了，只剩下紧张而兴奋的呼吸声。他飞快地把华生拽到屋里最黑暗的角落，用手紧紧捂住华生的嘴巴，那冰凉而细长的手指轻轻地颤抖着。

显然，福尔摩斯那异于常人的感官嗅到了猎物的气味。很快，一阵窸窸窣窣的声音从不远处传了过来。随着吱呀一声，房门一开一关，嘎吱嘎吱的地板声也响了起来，并且，那声音越来越近，越来越近！

华生的心紧张得怦怦直跳。夜色中，他隐约看到一个模糊的黑影，先是在屋内站了一会儿，随后猫着腰溜到窗前，轻轻地把积满灰尘的玻璃窗朝上推了一点儿。街边的灯光一下子照了进来，把那张阴险的脸映照得清清楚楚。

这位不速之客眨了眨眼睛。他的鼻子又高又细，额头又大又秃，还长着一圈灰白细长的络腮胡子。干瘪精瘦的脸上堆满了皱纹，看起来十分凶悍。他把一根像手杖一样的棍子放在了地上，咣当一声，发出金属般清脆的响声。随后，他在大衣口袋里摸索一阵，掏出一大块东西。只听咔嗒一声，他似乎是把一根弹簧似的东西挂了上去，接着又是一连串令人眼花缭乱的动作，然后又听到咔嗒一声。

当他终于直起身来，华生这才看清，原来他手里拿着的是一支非常奇怪的长枪！

他把长枪架在窗台上，长满络腮胡子的下巴稳稳地搭在枪筒上，闪亮有神的双眼一动不动地对着瞄准器。华生顺着枪筒的方向望去。天哪！他瞄准的不正是公寓里的蜡像吗？这个凶恶的射击手瞄了一会儿，果断扣动扳机。啪嗒一声，子弹出膛，紧接着是一连串玻璃炸裂的清脆声响。

说时迟，那时快，福尔摩斯瞬间从角落里跳了出来，如同猛虎般扑了上去，射击手脸朝地摔了个狗啃泥。但他反应迅速，立刻一个翻身，反手扼住福尔摩斯的喉咙。华生连忙举起**手枪**，用手柄狠狠砸向射击手的脑袋，然后把他死死按在地上。嘀——嘀——福尔摩斯趁机吹响警笛。很快，一位便衣警探和两名警察飞一般冲了进来，把喘着粗气的射击手控制了起来。

“雷斯垂德，是你吗？”

“是的，福尔摩斯先生！我已经接手这桩案子了。”

雷斯垂德警探点燃两根蜡烛，一名警察打开手提灯，这下，可以更仔细地看看囚犯了。

这张精力充沛而**阴险毒辣**的脸上，长着一双冰冷的蓝眼睛。上方是利剑般的浓眉，下方则是高挺的鹰钩鼻，所有的危险信号都聚集在这张脸上。他惊讶不已，死死地盯着福尔摩斯，眼里充满了仇恨，浑身颤抖着吼道：“你……你这狡猾的魔鬼！”

“啊！我亲爱的上校！”福尔摩斯一边整理着袖口和衣领，一边说，“俗话说得好，**冤家路窄**。一晃三年了，我们终于又见面了。”

那个凶恶的老人一声不吭，那双充满野性的眼睛和倒着竖立的胡子，让他看起来活脱脱像一只暴怒的老虎。

福尔摩斯不屑地瞟了囚犯一眼，继续说：“各位，我给大家介绍一下！这就是**大名鼎鼎**的莫兰上校，伦敦最优秀的射击手之一。我非常纳闷，你这个老练狡猾的猎人怎么会中计呢？你捕猎老虎的本领可是闻名全国啊！你喜欢揣一把手枪藏在树上，然后在树下拴一只小绵羊当诱饵。只是你没想到，这回你反倒成了被诱饵引诱上钩的那只老虎。”

“你这狡猾的魔鬼！你凭什么**逮捕**我？”莫兰上校一声怒吼，像狮子般猛地朝福尔摩斯扑过去，两旁的警察立刻把他死死地拽了回去。

“你就不要垂死挣扎了！刺杀福尔摩斯难道还不够吗？”雷斯垂德警探威严地说。

“这枪倒是很不错。”福尔摩斯从地上捡起莫兰上校的长枪说，“没有声音，并且威力巨大，开枪时根本听不见枪响。我早就听说过这支枪，是我们的对头莫里亚蒂教授之前让人特制的。今天，终于有机会亲手摆弄摆弄它了。嗯，枪和子弹都非常特别。雷斯垂德警探，我现在把它交给你们保管。但是，这家伙的罪名，并非刺杀我，而是射杀阿德尔。上个月那起震惊伦敦的深夜惨案，真正的**罪魁祸首**就在这里。他用这支特制的枪，杀害了那个可怜人。凭这支枪，**顺藤摸瓜**，相信你们能找到证据的。好了，华生，这里实在是有些冷，我们还是先回贝克街吧！”

两人回到了贝克街的公寓。屋里还是和过去一模一样，松木桌、大书架，还有提琴盒子、烟斗架……只是多了一座**栩栩如生**的蜡像，披着福尔摩斯的旧睡衣，只可惜，脑袋上被子弹打了个大窟窿。

福尔摩斯找到子弹，放在手里仔细摩挲着说：“果然，和一般的子弹不一样。华生，你还像当年一样坐在对面那把椅子上吧，我们讨论下案情。”

福尔摩斯慢悠悠地脱掉外套，披上蜡像身上的那件旧睡衣，活脱脱又重现**当年的样子**。

福尔摩斯一边仔细查看破碎的蜡像，一边说：“子弹正中头部，稳稳穿过，老猎手到底是没有眼花。华生，你听说过这位莫兰上校吗？”

“这倒没有！他很有名吗？”

“当然咯！”福尔摩斯从一旁的书架上取下一本参考书说，“看，这里有记载：莫兰上校，曾就读于牛津大学，在多个兵团服过役。你再看他常去的地方，各个不同的纸牌俱乐部。”

“这可真是令人难以置信！”华生惊讶地说，“他居然曾经是一位出色的军人！”

“是呀！他曾经在印度服过役，那里到现在还流传着他跳进水沟英勇追老虎的故事呢。”福尔摩斯惋惜地感叹道，“唉！有些大树呀，长到一定高度就会变得**奇形怪状**，而有些出色的人也是这样，突然就变成坏人了。莫兰上校不就是这样的人吗？他来到伦敦后，被莫里亚蒂教授选中，执行过几次高难度的任务。他早就盯上我了，三年前从山顶朝我扔石头的也是他。我一直在想办法除掉他，可始终没有找到好机会。当我看到阿德尔惨案的报道时，我知道，狐狸露出尾巴了。开枪伤人，却没有枪声，除了莫兰上校，还能有谁？我火速赶回伦敦，却不巧被他放哨的同伙看到了。我想，莫兰上校一定不会放过我，还会再次用他杀害阿德尔的那支特制长枪来对付我。既然如此，不如**将计就计**。我干脆摆了个蜡像引他上钩，并通知警方提前埋伏在附近。我唯一没有想到的是，他竟然也会选择在我们公寓对面的空屋里动手。好了，你还有什么要问的吗？”

“但是……”华生有些想不明白，“莫兰上校杀害阿德尔的**动机**是什么呢？”

“动机嘛……在正式审问他之前，只能依靠推测了。”福尔摩斯吸了一口雪茄，慢悠悠地说，“根据纸牌俱乐部的证词，莫兰上校曾经和阿德尔合伙**赢了一大笔钱**。但我知道，莫兰上校打牌一向有作弊的习惯。我想，肯定是正直的阿德尔发现了莫兰上校作弊的事情。阿德尔警告过他，并表示要当众**揭穿**他。案发时，阿德尔估计正在计算自己该退还多少钱，他可不愿意赢这笔不光彩的钱。可莫兰上校这个家伙，向来靠打牌骗钱为生，他得知阿德尔想揭穿他，那么，对阿德尔狠下毒手也就说得通了。”

“原来如此！唉，可怜的阿德尔！”

“一切等待审讯结果吧！不过，从此以后，我福尔摩斯又可以自由地穿梭在伦敦街头，调查各种有趣的案件了，不是吗？”

建筑师的遗嘱

华生搬回贝克街221B的公寓，和福尔摩斯重新成了室友。一天，年轻的律师麦克法兰来找福尔摩斯求助。警察认定他是建筑师奥达克先生谋杀案的真凶，但他坚称自己是无辜的。福尔摩斯能看穿真相，找出真凶吗？

自从莫里亚蒂教授死后，福尔摩斯经常**愁眉苦脸**地感叹：“真无聊啊！唉，无事可做！”

华生这时候已经搬回了贝克街 221B 的公寓，跟福尔摩斯同住。对于这件事情，福尔摩斯其实耍了个小心眼。他一直劝华生卖掉他的小诊所，搬回贝克街。华生起初还有些犹豫，就随口跟卖家报了个一般人不可能接受的高价。谁知道，这卖家根本没有还价，立刻掏钱把小诊所买了下来。华生惊得半天没有回过神来。

很久以后，华生才发现了这里面的**秘密**。出面买诊所的那个人，竟然是福尔摩斯的远亲。原来啊，这一切都是福尔摩斯暗地里安排好的，买诊所的钱，自然也是他出的。嘿，这个聪明绝顶的大侦探呀，早就离不开他的好搭档华生了。

“唉，真是太无聊了！”这天，福尔摩斯又在因为没有接到**稀奇古怪**的案子而来回踱步，烦恼不已。丁零丁零——一阵急促的门铃声划破了清晨的宁静。紧接着，楼下的大门被敲得咚咚直响。一个大嗓门的鲁莽男人在门外大吼大叫："开门开门！我有天大的要紧事！"

不一会儿，楼梯上响起了噔噔噔的脚步声，一个衣冠不整、脸色惨白的年轻人撞开了福尔摩斯的房门，他一边喘着粗气，一边连声解释："对不起！对不起！我不是故意这样鲁莽的，可是……天哪！我快发疯了！我就是那个倒霉蛋麦克法兰！"

福尔摩斯指了指一旁的椅子，平静地说："麦克法兰先生，你先坐下冷静一下。呵呵，炎热的天气难免让人急躁

啊。刚刚你自报了家门，可是，我除了知道你是单身汉、律师，以及患有哮喘病之外，其他几乎是一无所知。”

“啊？你可真厉害！”年轻人大吃一惊。倒是华生很快就反应过来，来访者**不修边幅**的样子，手里的一扎法律文件，还有呼哧呼哧的喘气声，这些正是福尔摩斯推理的依据。

年轻人一把拽住大侦探的袖子，说：“你说的就是我啊！全伦敦最不幸的人！求求你了，福尔摩斯先生，别……别不管我……要是他们一会儿来逮捕我，你一定让我把话说完，只要有你在外面帮忙，就算我被关进了监狱，也能安心一点。”

“哦？逮捕你？”福尔摩斯抬了下眼皮，问道，“以……什么罪名呢？”

年轻人扭着手说：“谋……**谋杀建筑师**奥达克先生。”

福尔摩斯挑了挑眉，说：“哦？看起来是个很轰动的案子！”

“是……是的。”年轻人双手颤抖着，拿起放在福尔摩斯膝盖上的报纸，带着哭腔说道，“先生你瞧！这报纸上说的嫌疑人，可不就是我吗？就刊登在要闻版上，‘诺伍德的神秘案件：知名建筑师深夜失踪，初步怀疑为纵火杀人案’。看哪！这每一条所谓的‘线索’，都把火引到了我这个无辜的可怜人身上了。我知道，我已经被人盯上了。从火车站到这里来的一路上，一直有人在跟踪我……”

这个名叫麦克法兰的年轻人惊恐至极，紧握的双拳几次举起又落下，他张牙舞爪地扭动着身体，碧蓝的眼睛里充满了愤懑和恐惧。这扭曲的状态，与他英俊的脸庞，以及还算绅士的衣着形成了鲜明的对比。

“嗯……看来我们要尽快行动了。”福尔摩斯坐直了身子，扭头对华生说，“华生，看看报纸上关于这桩案件是怎么写的。”

华生拿起报纸，认真地读了起来：

昨天深夜或今天凌晨，诺伍德发生了一起疑似犯罪案件。夜里十二点左右，在幽谷庄园的木材存放场地，发生了一场火灾，火势凶猛，无法扑救。直到存放在那里的木材燃尽，大火才熄灭。该庄园的主人名叫奥达克，五十二岁，是一位退休的知名建筑师，据说资产丰厚，平时独自居住在这人迹罕至的庄园。火灾发生后，奥达克被发现已失踪。警方勘查现场后，发现这场火灾看似一场意外，实际上疑点重重。有种种迹象表明，这是一起早有预谋的纵火杀人案……

华生若有所思地停顿一下，然后继续读下去：

奥达克卧室里的床没人睡过，但保险柜的柜门大开，各类文件稀稀拉拉散落一地。此外，屋内有激烈的打斗痕迹。警方提取到少量血迹，并搜到了一根沾有血迹的橡木手杖。当晚，奥达克先生曾在卧室接待了一个名叫麦克法兰的客人，而手杖的主人正是他。不仅如此，奥达克的卧室窗户也被人打开了，周围有拖拽重物到木材场的痕迹。最终，在木材场的灰烬中，警察发现了烧焦的残骸。至此，警方已经掌握确凿证据，证明这是一起蓄意谋杀案！据推测，凶手在卧室用手杖将奥达克先生击毙，盗取保险柜内文件后，将尸体拖到木材场，纵火毁尸灭迹。

福尔摩斯紧闭着双眼靠在椅子上，双手合拢，指尖顶着指尖沉思了一会儿，才睁眼问道："麦克法兰先生，既然警方有充足的证据逮捕你，为什么你到现在仍然能行动自如呢？"

"是这样的，福尔摩斯先生。"麦克法兰焦急地解释道，"昨晚我和奥达克先生一起处理事务到很晚，结束后就在当地的一家旅馆住下了。今天早上我坐火车去上班，这才看见了那条吓人的新闻。要是我待在自己家里，估计早就被警察带走了。看到消息，我来不及多想，发疯一样赶来这里，只有你能救我了！刚刚一直有人**跟踪**我，我猜他肯定是……天哪！是谁来了？”

丁零丁零——又是一阵熟悉的门铃声，紧接着，楼梯上响起一群人噔噔噔的脚步声。

门被推开了，门外站着福尔摩斯的老朋友雷斯垂德警探，还有两名身穿制服的年轻警察。雷斯垂德毫不客气地走了进来，快速环顾屋内，对着那个脸色惨白的年轻人问道：“你，就是麦克法兰吗？”

“我……”可怜的麦克法兰浑身发抖，**颤颤巍巍**地站了起来。

“好了！不必解释了！”雷斯垂德压低嗓音，一脸严肃地宣布，“由于你蓄意谋杀了奥达克先生，我现在奉命逮捕你！”

“唉……”麦克法兰长叹一口气，绝望

而又痛苦地扭头望向福尔摩斯，随后像泄了气的皮球，一屁股瘫坐在椅子上。

福尔摩斯拍拍雷斯垂德的肩膀，说："伙计，请等一下！再给我们半小时吧，麦克法兰正在讲述事情的经过，这也许会帮助我们**弄清真相**。"

"弄清真相很难吗？"雷斯垂德一脸不情愿的表情，没好气地嘟囔着，"好吧好吧，既然福尔摩斯开口了，那我就给他半小时吧。不过，犯人说的每一句话，都将成为呈堂证供！"

麦克法兰深吸一口气，强忍着内心的恐惧，讲了起来："说实在的，我跟奥达克先生一点儿也不熟，但他跟我的父母很早以前就认识了。我们已经很久不联系了。可是，谁能想到呢？他昨天下午突然出现在我的办公室，手里捏着几张从笔记本上撕下来的纸——你们瞧，就是我手里这几张。"

大家齐刷刷地凑过去看**纸条**。

麦克法兰接着说道："奥达克先生突然盯着我说：'孩子，这是我的**遗嘱**，想请你按法律规定的格式把它写出来。'我按照他的吩咐开始抄写那些纸条上的内容，谁知，写着写着，我发现他竟然把大部分的财产都……都留给我了！除了……除了一些必备的养老钱。"

“留给你？”福尔摩斯和雷斯垂德异口同声地问。

“是的。”麦克法兰边点头边说，“我当时惊呆了！他可是奥达克呀！他滑溜溜光秃秃的额头上长着两撮白色的眉毛，眼珠子滴溜儿乱转，活像一只狡猾的小雪貂！多么精明能干的一个人哪，他怎么可能会傻到把这么一大笔财产留给我呢？正当我一脸疑惑地抬头看他时，正好迎上他那双锐利得像刀一样的眼睛，而且他脸上好像还挂着一丝奇怪的笑意。我不禁背脊发凉，直冒冷汗，结结巴巴地问他这是怎么回事。他轻描淡写地回答说：‘我呢，就是一个无牵无挂的单身汉，几乎没什么亲人了。我很早就认识你父母了，听他们说你是个不错的小伙子。既然如此，我索性就把遗产留给你吧！’”

听完这番话，一旁的华生嘟囔道："这真是令人难以置信哪！"

麦克法兰附和道："对呀！我简直不敢相信这是真的！随后，我工工整整地抄完了遗嘱，签了字，**不知所措**地感谢奥达克先生。这一切就像一场梦！不是吗？"

事情仿佛到了一个转折点，麦克法兰用袖子抹了抹湿漉漉的额头，接着讲："奥达克先生又对我说，除了这份遗嘱，还有一大堆文件要等我去他家里过目，类似存折、房契、租约这些。他还反复叮嘱我，让我不要告诉我的父母，这样好给他们一个惊喜。我还能说什么呢？他约我晚上九点左右去他家吃饭，我当然准时赴约了……"

"等等！"福尔摩斯突然打断了麦克法兰的讲述，"是谁给你开的门？"

"一个胖乎乎的中年妇女，应该是他的**女管家**。"

福尔摩斯仿佛想到了什么，说："我想，就是她把你的名字告诉警察的吧？"

"肯定是的！"麦克法兰皱起眉头，非常气愤地说，"就是这个女人把我带进了客厅。我在他家简单吃了顿晚饭。很快，奥达克先生把我领进卧室，从保险柜里取出一大摞文件，一页一页地讲给我听。我一直听到晚上十一二点。结束时，他叫我**从窗户跳出去**，说这样不会打扰到女管家。”

“嗯？”福尔摩斯敏锐地问道，“那窗帘放下来了吗？”

“这……”麦克法兰挠了挠头，不太确定地回答道，“说不准……我记得是……放下了一半。哦，对了！我出来后发现**忘记拿手杖**了。我想回去拿，但奥达克先生似乎早就料到了，他微笑着跟我说：‘没关系，孩子，我先替你把手杖收好，以后我们还会经常见面，下次你再来取吧！’我就这样两手空空地走了。当时保险柜的柜门还开着，几包文件像小山一样堆在桌子上。我在当地随便找了家旅馆住下。今天早上，我坐火车去上班，在路上看了报纸，才知道发生了这样可怕的事情……”

听到这里，刚刚还自信满满的雷斯垂德警探不禁皱起了眉头。他望向福尔摩斯，说：“福尔摩斯先生，你还有什么要问的吗？”

福尔摩斯脸上露出了**谜一般**的微笑，说道：“在去诺伍德之前，暂时没有了。”

雷斯垂德仿佛意识到福尔摩斯发现了什么。这位大侦探，有着像刀片一样纤薄锐利的思维，把神秘事件细细切开，**抽丝剥茧**般地解开一个个谜团。但是，尽管雷斯垂德对事情的真相产生了怀疑，眼下，嫌疑犯还是照样要带走。“走吧！麦克法兰先生！跟我去**警察局**走一趟。”雷斯垂德说。

可怜的麦克法兰跟着门口的两名警察走了，雷斯垂德留了下来。

福尔摩斯手里捏着麦克法兰交给他的那几页纸，眯起眼睛仔细打量着，对雷斯垂德说道：“你瞧，这遗嘱倒是挺有意思的。开头和结尾的字体都很工整，很像印出来的。但其余部分呢，字迹可真潦草，看都看不清楚。你能想到这是怎么回事吗？”

雷斯垂德警探摇了摇头，说：“我想不通。你觉得呢？”

福尔摩斯托着下巴，说：“这肯定是在**火车**上写的。字迹工整的部分是停车的时候写的，而潦草的呢，是在火车行驶的过程中完成的。其中有几处特别不清楚，说明火车那时正好经过岔道，笔抖得最厉害。由此可以推断出，这列火车肯定是在大城市郊区的铁路线上跑，不然怎么会有这么多岔道？而且，应该是一列快车，中途只停过一次，因为工整的字迹特别少。你怎么看呢，雷斯垂德先生？”

“呵呵！”雷斯垂德心里暗暗佩服，但还是摆出一副不以为然的样子说道，“你说的似乎有道理，可这跟本案有什么关系吗？”

“一位赫赫有名的富翁，竟然会在火车上写遗嘱，这真是不可思议，不是吗？这么重要的事，未免太草率了吧？要我说，唯一能解释的，就是他根本**不在乎**这份遗嘱，也并不打算让遗嘱生效。”

“不不不！”雷斯垂德连连摇头说，“可奥达克同时还为自己立了死亡证明！这难道还不清楚吗？一个年轻人突然得知，如果某个老人死了，自己将得到巨额遗产，那他会不会动什么坏心思呢？依我看，就是他悄悄潜入老人家中，等老人睡着后把他杀死，再将尸体拖进木料堆里烧掉。可惜呀，这个年轻人并没有做到天衣无缝，他的手杖留在了现场。这种板上钉钉的事，即便他使出三寸不烂之舌，恐怕也没法辩解了！”

“我的好兄弟，雷斯垂德！”福尔摩斯拍着眼前这位警探的肩膀，耐心地解释道，“你不觉得这些证据过于明显了吗？你想啊，假设你是这个年轻人，你会在遗嘱写好的当晚去行凶吗？而且，即便你去行凶，你会堂堂正正地走正门、让女管家带路吗？最后一点，如果凶手已经想到纵火焚烧尸体了，难道会不小心留下自己的手杖吗？”

“不过……”雷斯垂德显然是被说服了，可又不肯直接缴械投降，勉强反驳道，“要我说，手杖也有可能是凶手一时紧张，慌乱间遗落现场的。福尔摩斯，如果凶手不是麦克法兰，那么请你给我另外一个**合理的推测**吧！”

“这不难！”福尔摩斯很快给了答复，“有没有可能是这样：当时窗户开了一半，奥达克先生给麦克法兰看那些高价的证券时，碰巧有个**流浪汉**从窗前路过，听到了屋里的对话，他还以为有一大笔财产可以偷走。于是，他像猫一样蹲伏在窗户下面。等麦克法兰离开后，他跳进屋内，抡起屋里的手杖杀死了奥达克，随后又一把火烧了尸体。但他后来发现，那些文件不能转让，对自己根本没用，所以就没把它们带走。”

“唉！好吧！”雷斯垂德警探不肯轻易认输，倔强地说，“福尔摩斯先生，你去找你的流浪汉。我们呢，当然也不能随便放掉麦克法兰。就我所知，那些文件一张不少。在这个世界上，谁最没有理由拿走它们？当然是麦克法兰，因为他是遗产的**法定继承人**，这些东西早晚都是他的。至于我们谁对谁错，就让时间证明一切吧！”

等到这位警探大摇大摆地走出房间后，福尔摩斯立即裹上风衣，边收拾东西边说："华生，我要出门一趟。"

"是去诺伍德的案发现场吗？"华生问。

"不！我先去另一个地方。"福尔摩斯说，"这个案子里有两个接连发生的事件：**立遗嘱**和**行凶**。我们常常会把注意力只放在第二个事件上，因为这是犯罪行为。其实，从第一个事件——立遗嘱着手才更合理：这份遗嘱立得太突然，而且是把财产给一个没有任何亲属关系的人，你觉得这能说得通吗？等我晚上回来吧，所有谜团也许就会一清二楚了！"

华生等啊等啊，一直等到夜幕降临，福尔摩斯才风尘仆仆地赶了回来。他脸色憔悴，满眼失望的神情，一声不吭地走进房间。不一会儿，屋里响起了咿咿呀呀的小提琴声，琴声单调而低沉，全然没有了往日意气风发的感觉。

突然，他砰的一声放下小提琴，在房间里踱来踱去，开口讲起了白天的经历：

"华生，我全搞错了！也许这一次雷斯垂德是对的！我去找了麦克法兰的母亲，你猜她怎么说？她**咬牙切齿**地说：'从年轻时，奥达克就是个恶毒狡猾的怪物！他曾向我求婚，好在我明智地拒绝了他。'然后呢，这位女士从抽屉里翻出一张旧照片，上面被刀子划得**面目全非**。她解释说，那是她的照片，奥达克追求她不成，竟然在她婚礼当天寄来了这张照片，诅咒她！最后，她非常坚定地说：‘我儿子绝不会要他任何肮脏的财产，更不会沾上他的一滴血！’华生，他母亲对奥达克充满恨意，这一点对麦克法兰更不利了。后来，我又去了诺伍德的案发现场。”

福尔摩斯痛苦地用双手撑着头，接着讲：“我在灰烬里发现了奥达克的纽扣，而现场留下的手杖确实是麦克法兰的，屋子里也只有麦克法兰和奥达克的脚印。所有线索都指向这个年轻人。除此之外，我**一无所获**。至于那个皮肤黝黑的女管家，她的嘴巴简直像被焊死了，一个字都抠不出来。她那双眼睛多疑得很，喜欢斜着眼看人。”

福尔摩斯握紧双拳说：“你瞧，华生！我失败得多么彻底啊！噢……那个女管家肯定知道些什么，可我就是撬不开她的嘴……”

福尔摩斯眉头紧锁，继续说道：“现有的证据几乎没有一点儿破绽，这个年轻人算是完了！除非……除非我们能找出**另一种推测**来。对了，我翻看奥达克的存折时，发现上面余额并没剩下多少，主要是因为去年他开了几张大额支票给一个名叫科尼利亚的人，这会不会是一个**突破口**？嗯，我必须尽快去银行调查一下！”

谁也不知道，在接下来的漫漫长夜里，福尔摩斯究竟有没有合过眼。华生去吃早饭的时候，看见他坐在椅子上。福尔摩斯苍白的脸上愁云密布，眼圈乌黑乌黑的，倒显得一双眼睛更加闪亮。地上满是烟头，餐桌上搁着一封电报。他看到华生，指了一下电报，声音沙哑地说：“看看这个。”

华生拿过来一看，上面写着：

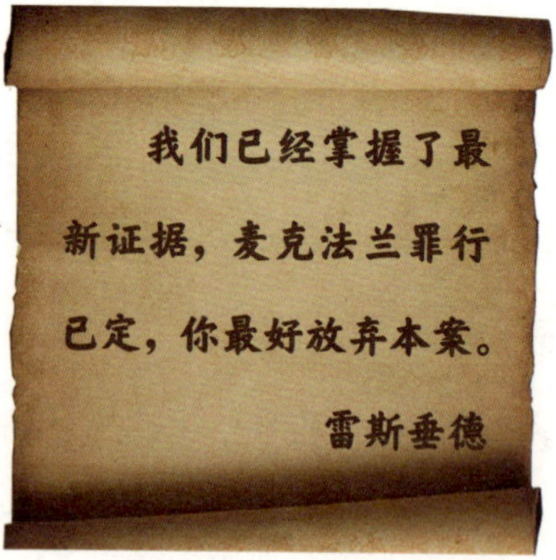
我们已经掌握了最新证据，麦克法兰罪行已定，你最好放弃本案。

雷斯垂德

“走吧，华生，你陪我去一趟诺伍德。”

福尔摩斯没吃早饭就出发了。用他的话说，他没有多余的精力来消化食物。

没过多久，两人便来到了位于诺伍德的**幽谷庄园**，这里就是死者奥达克的家。此时，雷斯垂德警探正满面红光地站在门口，脸上写满了胜利的喜悦。“我尊敬的福尔摩斯先生，请问你找到流浪汉了吗？”雷斯垂德高声问道。

“还没有。”福尔摩斯冷冷地回答。

“哦！那可真是遗憾哪。”雷斯垂德撇了撇嘴说，“我们昨天就得出了结论，本案的罪犯就是麦克法兰。”

雷斯垂德带着他们穿过走廊，来到一处昏暗幽静的门厅。突然，他刺啦一声划燃一根**火柴**，照出墙上一枚带血的**指纹**。“我们已经确认过了，这是麦克法兰的指纹！你们看，墙上是衣帽挂钩，他杀了人之后，在取帽子的时候无

意中留下了这枚指纹。哈哈，这可真是决定性的证据哪。”雷斯垂德说。

“嗯……”福尔摩斯的眼睛突然像星星一样闪亮，而且他似乎在努力憋住一阵大笑，“确实是决定性的！”

雷斯垂德**得意扬扬**地说：“怎么样，这下没话说了吧？福尔摩斯，你不得不承认，这次我走在了你前面。”

福尔摩斯走到墙边，做了个取帽子的动作。

“你们看哪，这个年轻人从挂钩上取下帽子时，竟然会用力把大拇指在墙上按一下。哈哈哈，这动作还真是自然哪！”福尔摩斯嘲讽地说道，“呵呵，麦克法兰终于有希望洗刷冤屈了。这些证据里，有一个**明显的漏洞**！”

“真的吗？是什么？”华生兴奋地问道。

“我昨天在这里检查时，并没有看到血迹。好啦，华生，陪我去散散步吧！”

雷斯垂德警探去书房写他的结案报告，福尔摩斯拉着华生先是在房子周围逛了一圈，接着屋里屋外、楼上楼下仔细检查了一遍，每个角落都没放过。

最后他们走到了顶楼的走廊上，那里有三个**空房间**。福尔摩斯走进去看了看，突然高兴了起来，他急匆匆地下楼找到雷斯垂德警探，对他说道："亲爱的朋友，先别急着结案，还有一位重要的**证人**你没见到呢。"

雷斯垂德感到十分惊奇，他疑惑不解地问道："是谁？他在哪里？"

福尔摩斯清了清嗓子，说："雷斯垂德，你带了几名随行的警察过来？他们声音洪亮吗？长得强壮吗？快把他们召集过来！"

"一共三名。"

几分钟后，三名体壮如牛的警察出现在了福尔摩斯面前。

"看见了吗？屋外有一大堆麦秸秆。"福尔摩斯吩咐道，"请你们搬两捆到顶楼。跟我一起上去吧。好，就放在走廊那头。对了，再提几桶水上来！"

福尔摩斯带他们上了顶楼，**威风凛凛**地指挥着，活像一个变戏法的魔术师。三名警察累得满头大汗，在一旁嘀嘀咕咕的。雷斯垂德满脸通红，气鼓鼓地说："福尔摩斯，你究竟在开什么无聊的玩笑？"

"别急！"福尔摩斯拍了拍雷斯垂德的肩膀，又转头对华生说，"嘿，麻烦你打开窗户，然后点燃麦秸秆，可以吗？小心别靠着墙壁，别真把屋子给点着了。"

很快，干燥的麦秸秆噼里啪啦地烧了起来，并且蹿出一团团红色的**火焰**。白烟裹挟着一股刺鼻的焦味升腾而起，顺着呼啸的穿堂风钻过走廊。

“现在，大家跟我一起大喊‘着火啦’，开始，一，二，三——”

“着火啦——”

“着火啦——”

“着火啦——”

喊声还没停，令人震惊的事情发生了！在走廊尽头那堵看起来完整的墙上，突然开了**一扇暗门**！一个短小精悍的男人**惊慌失措**地从里面冲了出来，简直像一只兔子从着火的地洞里蹦出来一样。

“太好了！”福尔摩斯的脸上露出了满意的笑容，“华生，用那桶水把火灭了吧。现在，请允许我隆重介绍本案的关键证人——奥达克先生。”

那位刚刚逃出来的男人瞅了瞅冒烟的麦秸秆，又望了望眼前的一群人，瞬间好像明白了什么。他滴溜儿转动着狡黠的浅灰色眼珠，面目可憎的脸上露出掩饰不住的奸诈与凶狠，两撮白色的眉毛紧紧蹙成一团，倒真像一只**小雪貂**。

雷斯垂德的眼睛瞪得像两只铜铃，他死死地盯着奥达克，问道：“你……你怎么会在这里？”

“我……”这个坏家伙不自然地笑了笑，“没什么……我开了个小玩笑……”

“玩笑？”雷斯垂德又气又恼，咬牙切齿地怒吼道，“你这混蛋！要不是福尔摩斯看穿了你的把戏，你就把一个无辜的孩子送上绞刑架了！我保证你以后再也笑不出来！立刻把他押下去！”

奥达克挣扎着、哀号着被三名警察押走了。

福尔摩斯对雷斯垂德和华生挥了挥手，说：“走，我们一起去看看这只耗子的**藏身之所**吧。”

他们走进奥达克逃出来的那扇暗门，里面是一个隐蔽的小房间，光线昏暗，全靠屋檐缝隙里透进来的一点儿光来照明。屋里摆着几件简单的家具，还有一些食物、水、书、报纸。

福尔摩斯哼了一声，说：“不愧是知名建筑师，要在自己的房子里找一个神不知鬼不觉的藏身之所，不是什么难事。”

“你怎么会知道呢？”雷斯垂德疑惑不解地问道。

“因为每层楼我都仔细查看过了，顶楼的走廊比楼下的短了将近两米！所以我推断他一定是在顶楼做了**暗室**，然后这些天都悄悄地躲在里面。呵呵，其实我也可以叫你直接进去抓人，不过，用火警把他逼出来，不是更有趣？至于你新发现的那枚**指纹**，昨天我检查过墙壁，上面确实什么也没有。这只能说明，昨晚有人悄悄动了手脚。麦克法兰已经被你们抓起来了，肯定不是他自己跑回来印上去的。那就是有人复制了他的指纹。你还记得吧？奥达克文件封套上的热火漆，就印着麦克法兰的手印。所以，复制他的指纹很容易，用蜡模沾点儿血就可以做到，然后再印到墙上。要我说呀，这个奥达克够阴险够狡猾，但最后这一步实在是**画蛇添足**，反而因此暴露了自己。”

“太妙了！”一向傲慢的雷斯垂德激动得像个孩子。“那他的**作案动机**是什么呢？”雷斯垂德问道。

“这很简单。”福尔摩斯说，“奥达克是个记仇的家伙。你知道吗？麦克法兰的母亲年轻时拒绝过奥达克的求婚，因此奥达克怀恨在心，一辈子都想着要报复。对了，还有一件事情，奥达克最近投资接连失败，债主们早就追上门来了。他**想方设法**把钱转移到一个假账户里。要是他营造出自己被旧情人儿子杀害的假象，这样不仅不用还债了，还能对麦克法兰母子进行致命的报复。多么恶毒的**智力犯罪**哪！”

雷斯垂德挠了挠头，说：“那……在火灾中发现的烧焦的残骸，既然不是奥达克的尸体，那是……”

福尔摩斯冷笑一声，说：“哼，不过是他故意丢进去的动物尸体罢了。现在，我们再下去跟他聊聊。”

“哦！我的好先生，这只是一个恶作剧！麦克法兰可没受一点儿伤！”奥达克不安分地扭动着身体，苦苦哀求着。

福尔摩斯微微一笑，说：“你很快就会看到，债主们会要求冻结你化名科尼利亚的银行账户。”

“什么？”身材矮小的奥达克突然跳了起来，仿佛一条炸了毛的疯狗，对着福尔摩斯咬牙切齿地狂叫起来，“好一个大侦探！你等着！总有一天，我一定会‘好好报答’你的！一定！”

“好呀！”福尔摩斯一脸温和地说，“恐怕，接下来几个年头，你只能数数牢房里有几块砖头了。顺便问一下，除了那条破裤子，你还把什么东西扔进火堆里了？死猫？死兔子？算了算了，**两只兔子**就可以解释那些烧焦的残骸和血迹了。华生，你在破案记录里就写两只兔子吧。”

黑彼得船长

华生最近遇到了几件怪事。他的好搭档福尔摩斯每天早出晚归，不知道在忙些什么。几个彪形大汉接二连三地找上门来，说是来找一个叫巴斯尔船长的人。最离奇的是，福尔摩斯竟然拿着一支短矛，对着肉店里的死猪猛刺。这一系列怪事，都与黑彼得船长的案子有关……

那是1895年7月的第一个星期，福尔摩斯每天早出晚归，神神秘秘的，谁也不知道他究竟在做些什么。更让人**百思不得其解**的是，陆陆续续有好几个长相粗野的彪形大汉来到寓所，他们都来找同一个人——巴斯尔船长。

一天早上，华生吃早饭的时候，看到福尔摩斯腋下夹着一根像伞一样的**短矛**从外面走了进来。

“天哪，福尔摩斯，你不会带着这个武器在伦敦城到处乱逛吧？”

“哈哈哈哈，你刚才要是去外面的肉店，就会看到一位绅士拿着这根短矛对一头死猪猛刺一通。咻咻咻——”福尔摩斯举起短矛比画了一通，然后继续说道，“这个力气很大的人就是我！告诉你吧，要一下刺穿厚厚的猪肉，还真不是一件容易的事！”

华生听得一头雾水，突然，外面传来了**咚咚咚**的敲门声。来访者大约三十岁，穿着一身素雅的花呢衬衣，身材挺拔。华生一眼就认出来了，这是年轻有为的霍普金斯警探。

这位警探满脸沮丧，一进门就**唉声叹气**地说：“唉，失败了！彻底失败了！”

“怎么了？黑彼得船长的案子还没有突破吗？”福尔摩斯问道。

霍普金斯警探神色黯然，**垂头丧气**地说：“没有……福尔摩斯先生，这次您无论如何都要帮我一把！这种煎熬快把我折磨疯了。”

福尔摩斯一只手抚着下巴，说：“嗯！我刚才把案件的侦查报告仔细看了一遍。犯罪现场的那只**烟丝袋**，上面有什么线索吗？”

“那就是黑彼得自己的烟丝袋吧。”霍普金斯警探不假思索地回答道，“是海豹皮做的，上面还绣着他名字的缩写呢——‘P.C.’！”

“现场有他的烟丝袋，却没找到他的烟斗，这合理吗？”福尔摩斯抬眼看着他。

“黑彼得确实很少抽烟，也许，他的烟丝只是为朋友们准备的。”

“如果我来办案，那么烟丝袋会是一个绝佳的调查切入口。对了，华生对这个案子还一无所知，霍普金斯，我们再把案子理一遍，如何？”

“你们瞧，这是一份年谱。”霍普金斯警探边说边打开文件袋，“死者黑彼得现年五十岁，十二年前曾经当过船长，他的船叫‘**海上独角兽号**’。他接连出海几次，好像收获很大，才过一年就退休了。之后他四处旅行，直到六年前，买下了一座名叫伍德曼李的小庄园，打算在那里颐养天年。可谁能想到呢？就在一周前，这位老船长遇害了……”

“哦，真是个悲剧。”华生唏嘘不已，“他是不是跟别人结仇了？”

“这很难说。”霍普金斯警探撇了撇嘴说，“这个人性格阴沉，蛮横霸道，皮肤黑黝黝的，留着浓黑的大胡子，‘黑彼得’这名字，就是这么来的。听说，他家里的气氛非常压抑。他还是个酒鬼，一喝起酒来就脾气暴躁，乱打人。他妻子和女儿都躲着他，连邻居都怕他。”

听到这里，华生对黑彼得的同情之感悄悄发生了转变：“那这个老头儿，是在家里被人**谋杀**的吗？”

“算是吧。”霍普金斯警探接着说，“他死在离家不远的一个**小木屋**里。那是他之前特意建的，大概是为了纪念以前的航海生活，里面的摆设和物件，都跟船舱里的一模一样，他管这小木屋叫‘小船舱’。每天晚上，他都在那里睡觉，钥匙只有他自己有，其他人谁也不许进去，就连里面的被褥，都是他自己收拾、自己洗。没人知道他整天神神秘秘地待在里面，到底在干些什么。”

霍普金斯警探接着讲述案情：“在出事前两天，有人曾经透过小木屋的窗帘，看到一个陌生的黑影，那样子一看就不是黑彼得！而事发的前一天晚上，黑彼得又喝得烂醉，大吵大闹，凶得像一头吃人的野兽。凌晨两点，他女儿在家里听见从小木屋里传来一阵凄惨的尖叫声，令人毛骨悚然。不过，黑彼得平时喝醉酒就会这么乱喊乱叫，所以他女儿并没有把这声音当回事。直到第二天中午，黑彼得还没有回家，用人才壮着胆子去了小木屋。谁知道，黑彼得已经死在那里了。一个小时后，我就奉命赶到了现场，接手了这个离奇的案子……”

霍普金斯警探清了清嗓子，说：“黑彼得是被一把钢制的鱼叉刺中胸膛而死的。那把鱼叉穿透了他的身体，牢牢地扎进了他背后的木墙里。唉，那样子真够惨的，活像一只被钉在硬纸板上的甲壳虫……案发现场有几个细节值得注意，那把用于谋杀的鱼叉，应该是凶手随手从墙上的架子上抓到的，因为那上面还挂着另外两把差不多的鱼叉。鱼叉上都刻着‘**海上独角兽**’这几个字。再考虑到案发时间是凌晨两点，本来应该在睡觉的黑彼得，却穿戴整齐，桌子上还摆着一瓶朗姆酒和两只用过的杯子。这样一想，黑彼得怕是和凶手有一场约会。两人谈什么谈到一半，谈崩了，来访者突然之间**起了杀心**。”

“很好。”福尔摩斯看着这位警探，赞许道，“看来你的本领长进不少。屋子里还有其他酒吗？”

“有！”霍普金斯警探一边回想一边回答，“屋里的小酒柜

里，还有威士忌和白兰地，都没开过。不过，这不重要吧？对了，桌子上就放着那只海豹皮做的**烟丝袋**，里面还剩一小半烟丝，是水手爱抽的那种，味道很浓烈。”

“嗯，很好！”福尔摩斯频频点头。

这时，霍普金斯警探摸了摸衣兜，从里面掏出一本土黄色封皮的笔记本。本子的外皮磨损得很厉害，里面的纸张也泛着暗黄色，显然是有些年头了。至于本子上的内容嘛，看起来像是**证券交易所的旧报表**。里面记录的证券，嗯，可以说非常值钱。

福尔摩斯的脸上露出了些许吃惊的表情，他问道：“哦？还有一本笔记本？霍普金斯，你们后来有追查这些证券吗？”

“正在调查中。”霍普金斯警探解释道，“但涉及一些国外的权益人，恐怕得过上几个星期才能弄清楚。”

福尔摩斯用**放大镜**仔细检查笔记本封皮。“怎么回事？这是血迹吗？你们发现笔记本的时候，有血迹的这一面是朝上的还是朝下的？”福尔摩斯问道。

“我是从地板上把笔记本捡起来的。有血迹的这一面是朝下的，先生。这说明笔记本是在案发后掉到地上的。哦，掉在门边，凶手很可能是在逃跑时不小心丢掉的。”

“这就有意思了！”福尔摩斯突然兴奋地搓了搓手说，“我想，本子里的证券应该不属于黑彼得吧？那么，这会是一起抢劫杀人案吗？”

“这些财产确实不属于死者，但是，屋里的东西好像都没有被动过，要说抢劫杀人，又有点说不过去……对了，还有件事情，死者的脚边有**一把刀**，刀还在刀鞘里没拔出来。”

福尔摩斯沉思片刻，说：“我想，我们应该去小木屋看看了。”

说走就走！三人乘着四轮马车，来到一片绿油油的小树林。下车后，他们顺着一条弯弯曲曲的**羊肠小道**，很快就走到一幢高高的石头房子前。在它不远处，隐约能看见一座**小木屋**，静静地掩映在三面灌木丛之间。

这里便是惨案发生的现场。

黑彼得的家属接待了他们一行人。黑彼得的妻子面容憔悴，皱纹很深，眼神充满了恐惧，一看就是长期经受了苦难和虐待。黑彼得的女儿是个金发姑娘，看起来面色苍白，说到父亲的死，她没有表现出半点儿悲伤，甚至似乎有些感谢凶手。

简单交谈之后，霍普金斯警探拿上钥匙，和福尔摩斯、华生一起去了小木屋。

霍普金斯警探刚要用钥匙开门，突然停下来朝四下张望了一会儿，压低声音说："不好，这锁有**被撬过**的痕迹，昨晚明明还没有……"

福尔摩斯冷笑一声，说："这门还锁着，说明那个笨贼并没有成功。呵呵，这件事对我们来说可是个好消息呀。"

"您是说……"霍普金斯警探恍然大悟，"您是说撬锁的人今晚还会来？带着更有用的工具？"

"要是今晚我们不在这里**守株待兔**，那可就太傻了！"福尔摩斯说道，"但他肯定会等天黑才来。现在我们不妨先进屋看看。"

走进这间名叫"小船舱"的小木屋，他们真像上了船似的，屋里所有的布置都跟在船上一模一样。

福尔摩斯仔细查看了一会儿，问道："咦？霍普金斯，你有从这架子上拿走什么东西吗？"

"没有，我按照您的叮嘱，什么东西都没碰。"

"哦，那一定有什么东西被谁拿走了。"说着，福尔摩斯又朝架子前凑了凑，"你们仔细看，这个角落里的灰尘明显比别的地方少，之前要么是放了一本书，要么是一个方方正正的盒子。好了，该检查的我都检查完了，接下来，咱们一起去林子里散散步吧，呼吸下新鲜空气，然后，就静静等待‘兔子’撞上门吧！”

夜里十一点，福尔摩斯他们在小木屋旁的灌木丛中布好了埋伏。等待猎物的漫长时光总是枯燥而又乏味。他们耐着性子，就像三位老猎人**悄无声息**地守在河边，只等着前来饮水的猛兽落入他们布下的网中。在这漆黑的夜里，将要朝他们走来的会是一头什么样的野兽呢？是一只牙尖爪利、难以对付的凶猛老虎，还是一条躲躲闪闪，闪着绿莹莹的眼睛在林子里来回试探的豺狼？

四周一片死寂，唯有发丝般的毛毛细雨，伴着簌簌而下的落叶，轻轻飘在脸上……

远处的钟声一次次响起，不知不觉已经凌晨两点半了。这时正是黎明前最黑暗的时刻。突然，他们听到羊肠小道上传来了**啪嗒啪嗒**的脚步声。很快，在一阵金属摩擦声之后，只听咔嗒一声，小木屋的门锁被打开了。一根火柴被轻轻划燃，紧接着屋内透出了摇曳的烛光。福尔摩斯他们大气也不敢出，紧紧地盯着窗户上的薄纱，观察屋里的动静。

出现在小木屋里的神秘人，是一个瘦弱的年轻男子，看起来二十岁出头，穿得挺绅士，但那黑色的胡须显然已经有些日子没刮了，惨白如霜的脸在烛光的映照下，显得更加憔悴。他又惊又怕，牙齿显然在打冷战，浑身上下也抖个不停。他先是惊恐地四处观望了一会儿，接着便快速走向一旁的架子，从上面摸出一本**航海日记**，飞快地翻阅着，好像在找什么内容。不一会儿，他突然抡起右拳，对着空气猛砸了一下，似乎是满腔的怒火无处发泄。很快，他又把本子放了回去，呼地吹灭了蜡烛。

还没等他走出小木屋，霍普金斯警探已经冲了进去，狠狠地抓住了他的衣领。

不一会儿，小木屋里又亮起了烛光。这个可怜的年轻人像是明白了怎么一回事，颤抖得更厉害了，他就像个流浪汉，蜷缩在储物箱上，惊恐地注视着眼前的这三个人，问道：“想必……你们是侦探吧？我发誓，黑彼得的死和我一丁点儿关系都没有。我是无辜的！”

“这一切我们自有定夺！”霍普金斯警探显得有些不耐烦了，“说，你究竟是谁？”

“我……我叫约翰·内立根。”年轻人**吞吞吐吐**地说，“你们知道来自西部的道生……和内立根公司吗？”

霍普金斯警探听得一脸茫然。福尔摩斯却很感兴趣，他说：“哦？道生·内立根，你是说那位逃跑的西部银行家吗？他曾经亏了一大笔钱，害得无数个家庭妻离子散，而他自己却人间蒸发了。”

“正是这样。”年轻人直了直身子，竭力保持镇定地说，“他……他就是我的父亲。我从十岁开始，就因为这件莫须有的事承受了**无穷无尽**的恐吓和羞辱。我们一家就像是过街老鼠——人人喊打。‘快看哪！他爸爸卷走了所有的证券，然后**畏罪潜逃**了。’‘快看哪，这就是那个逃犯的儿子！’这些话，我不知听了多少遍。但事实并非如此。我父亲虽然带走了证券，但绝没有打算把它们占为己有，他一直在等待可以兑换证券的那一天。到时候，债权人的钱一个子儿都不会少，他也就可以自证清白。我还记得是在 1883 年，就在逮捕我父亲的传票发出来之前，他乘坐小游艇去了挪威，从此……”

说到这里，年轻人眼泛泪光，忍不住抽泣起来："从此，父亲就**杳无音讯**了。直到前段时间，我突然听朋友说，父亲当年带走的一部分证券出现在了伦敦的交易市场。这对我而言，简直是黑暗人生中一缕曙光！顺着这条线索，我查到了这些证券最初的卖家——黑彼得，也就是这座小木屋的主人。当然，我也把黑彼得的生平查得清清楚楚，还找到了一条更重要的线索……"

"是什么？"福尔摩斯他们互相交换了一下眼神，异口同声地问。

"我父亲当年很可能登上了**黑彼得的船**！他去挪威时，不幸遭遇海上风暴，听说他的小游艇被吹到了北方。而那段时间，黑彼得的捕鲸船恰好从北冰洋返航。说不定，他刚好遇见了我父亲。虽然我不知道那之后究竟发生了什么，但我一定要搞清楚，为什么这些证券会出现在黑彼得手里。没想到，当我终于找到这里时，居然赶上了这桩可怕的谋杀案。我猜，我父亲当年的**航海日记**应该还在小木屋里，所以我打算找机会看个究竟。可是，当我好不容易找到 1883 年的航海日记，却发现最重要的几页被撕掉了！哦，老天，你们知道那一刻我有多气愤、多无奈！还没等我缓过神来，就被你们抓住了……”

“就这些吗？”霍普金斯警探斜着眼问。

“就这些。”年轻人强装镇定地回答道。

“那这是什么？”霍普金斯警探高声喝道，“这难道不是你的笔记本吗？”他高高举着那本土黄色封皮的本子，上面沾着几滴血，第一页清清楚楚地写着这个年轻人名字的缩写。

只一瞬间，**骨瘦如柴**的年轻人便垮掉了，他瘫软无力地从储物箱上滑到地上，双手痛苦地捂住眼睛：“你是怎么找到的？我还以为本子掉在了旅馆……”

“够了！”霍普金斯警探严厉地说，“不管你要怎么辩解，到法庭上去说吧！”

第二天清晨，在返回伦敦的路上，华生问福尔摩斯：“我怎么觉得，你似乎对这桩案子的调查结果不太满意？”

“还好啦。”福尔摩斯的眼神平静而又复杂，“唯一遗憾的是，霍普金斯的表现让我有点失望。其实，人们总是应该探索一下是否有**第二种可能性**，为无辜者留下一些余地……”

两人刚回到家，**几封信**已经在邮箱里静静地等待着主人，都是写给巴斯尔船长的。福尔摩斯取出来随手拆开一封。

“哈哈哈哈……”他放声笑个不停，“大鱼上钩了！华生，快帮我拍**两封电报**。第一封写给海运公司，叫他们派三个人明天上午十点来报到，落款就写‘巴斯尔船长’。第二封写给霍普金斯警探，邀请他明早九点来吃早饭，告诉他有要紧事。好了好了，我实在是太累了，这个恼人的案子足足烦了我十多天，现在终于快解脱了！明天早上，一切都将**水落石出**。”

第二天，霍普金斯警探早早就赶来了。他一边吃早饭，一边眉飞色舞地说：“福尔摩斯先生，黑彼得的案子可是我办得最成功的一个！”

“哦？你真的认为那就是事实吗？”福尔摩斯呷了一口早茶问，“来，说说看，你认为整件事的经过是怎样的？”

霍普金斯警探得意扬扬地说：“这很简单，年轻的内立根在案发那天住进小木屋附近的旅馆，跟黑彼得约好当天晚上见面。他想追回父亲的证券，但是，黑彼得怎么肯放弃已经攥在手里的巨额财富呢？两人说着说着就大吵了起来。气愤的内立根顺手扯下一把鱼叉，残忍地杀害了黑彼得。慌乱之中，他身上的笔记本掉在了地板上。您记得吧？他在很多张证券上打了钩，这些就是他想讨回来的他父亲的证券。至于后来他为什么又回到了小木屋，显然是为了找那个落下的**笔记本**。”

福尔摩斯苦笑着摇了摇头，说：“你没发现这里面有个巨大的漏洞吗？你有没有试过用这种**鱼叉**刺东西？哦，我可是去猪肉店试过了。那不是一件容易事，更何况，本案中的鱼叉不仅穿透了死者身体，还深深地扎进了后面的木墙里，这需要多大的力气，多熟练的技术？难道你认为瘦弱的内立根能做得到吗？再有，二十出头的他文文弱弱的，怎么会大半夜跟黑彼得喝那么烈性的朗姆酒？你知道，小木屋里不是还有别的更温和的酒吗？实际上，我们应该找另一个人，一个**强壮凶猛的海员**！”

听到这里，霍普金斯警探的脸拉得越来越长，他心里筑起的信心正在飞快地土崩瓦解，但他还是不愿承认：“哼，福尔摩斯先生，我有充足的证据让陪审团相信我，而您所说的那名罪犯，他现在人在哪里呢？”

“嘘——如果我没猜错，这会儿正在上楼的就是他。”这时，楼道里响起了一阵沉重嘈杂的脚步声。

福尔摩斯神色凝重，拿起一张写好的纸放在桌上，随即扭头吩咐华生："快把**枪**放在容易拿到的地方。"

没一会儿，房东太太进来问："先生，有三个人求见巴斯尔船长。"

屋里的大侦探吩咐道："好！让他们一个一个进来。"

第一个进来的人看起来短小精悍，面颊红润，长着花白的连鬓胡子，样子有些滑稽。

福尔摩斯问了他的名字后，就摇摇头说："很抱歉，先生，我们的船已经满员了。"

第二个进来的男子高高瘦瘦，脸颊凹陷。他报上姓名后，同样也没有被录用。

第三个应聘者长得比前两个都更**凶悍**，他顶着一头蓬松的金发，一对黑眼珠滴溜儿乱转，闪着凶狠的光，像极了一头狂野的狮子。他先是立正，敬了个礼，随后像水手一样站在旁边，随意地转动着手中的帽子。

"叫什么？"福尔摩斯问。

"帕特里克·凯恩斯。"

福尔摩斯眼睛一亮，又问："当过**叉鱼手**吗？"

"是的，我一共出海二十六次。"

"想要多少工资？"

“每月八英镑，先生。”

“好，能立刻来工作吗？”

“很快就能收拾好出发。”

“证明材料带了吗？”

“带了，先生。”这名男子从口袋里翻出一卷油迹斑斑的旧表格。福尔摩斯拿来瞟了一眼就还给了他。

“**你就是我们要找的人**。”福尔摩斯指着一旁桌子上的纸说，“那儿有份合同，你去签个字，就算正式被录用了。”

这名男子面露喜色，走到桌子旁边，低头边看合同边问：“先生，是在这里签字吗？”

话音未落，福尔摩斯猛地扑到他身上，用双手紧紧勒住他的脖子，说：“对，就是这里！”

“啊！”男子仰天咆哮，活像是一头被激怒的公牛，他和福尔摩斯扭打起来。眼看着他就要成功反击了，华生和霍普金斯警探冲了上去。直到华生把**枪口**稳稳地对准了这名男子的太阳穴，他才恶狠狠地举起双手，放弃了最后的挣扎。福尔摩斯拿出早就准备好的绳子和**手铐**，把他捆了个结实，另外两位才放下悬到喉咙口的心。

“抱歉，老伙计。”福尔摩斯拍着霍普金斯警探的肩膀

说，“连顿热腾腾的早饭都没有让你吃完。但是，要是你真能顺利结案，那么你以后的早饭肯定会更香。”

“我……”昨天还骄傲得像只大公鸡的霍普金斯警探瞬间涨红了脸，结结巴巴地说，“我……我真不知道该说些什么……原来，我从一开始就闹了个天大的笑话。这件事再次提醒我：永远不能忘记，您是老师，我是学生。但是恕学生愚笨，这位海员到底是怎么回事？”

福尔摩斯笑了笑，说：“**水滴石穿**，经验也是需要慢慢积累的。你需要从这桩案子里学习的是，永远不要忽略第二种可能性。凶手不是内立根，而是眼前的这个家伙。”

“等等！”海员低沉嘶哑的声音打断了他们的对话，“我不否认杀了黑彼得，但这并不是单方面的谋杀。当时，不是他死就是我亡，要不是我反应快，倒下的那个，就是我了。”

“哦？那你为什么会去小木屋找他呢？”福尔摩斯问道。

“事情要从 1883 年的那个秋天说起……”海员回忆着过去，“那时黑彼得是‘海上独角兽号’的**船长**，我是他船上的**叉鱼手**。有一回，我们正从北冰洋返航，路上遇到了风暴。我们救起了一艘漂到那里的小游艇，上面只有一个活人，是个中年男人。他被我们救上船的时候，随身带着一只铁皮箱。不过，第二天他就消失得无影无踪了，谁也不知道是怎么一回事。当然，除了我！救起他的那天晚上，我值晚班，亲眼看见黑彼得捆住那个男人的双脚，干脆利落地把他丢进了海里。”

“原来如此，可怜的内立根先生……”华生哀叹了一声。

“我没对任何人说起这件事。谁会为了一个陌生人去惹麻烦？没多久，黑彼得就不再出海了。我猜，当初他肯定是从那铁皮箱里捞了一笔巨款。嘿嘿，我一直替他**守口如瓶**，他不该分点钱给我吗？我好不容易找到了他，打算要点钱，这样的话，我这辈子也就不用一直在海上漂着。他本来已经答应了我的条件，谁知道，等我过几天再去找他，他喝了个烂醉，翻脸不认账了。他对我破口大骂，吐口水，还敢伸手去拔刀，还好我手快，马上从墙上抓了一把**鱼叉**，先刺了过去。这家伙就这样死了。事后，我带着那只铁皮箱逃走了。唉，也是我命里该被抓，我怎么把**烟丝袋**给落下了。”

海员扭了扭被绳子捆得僵直的身子，脸上露出了迷惑的表情：“奇怪的是，我刚出门，就听见有人朝小木屋走了过来。我赶紧跳进旁边的灌木丛里。来的是个二十出头的小子，看起来瘦瘦巴巴的。我看他神秘兮兮地走进小木屋，不过，前脚刚踩进去，就跟见了鬼似的尖叫着跑了出来。我到现在也没搞明白，他到底是谁，来这里干吗。不过，这些都不重要了。后来，我坐火车逃到伦敦，找了个没人的地方打开箱子。气死我了！里面只有几摞破证券，我哪里敢卖？那不是自投罗网！”

霍普金斯警探皱着眉头问：“那你怎么会来应聘海员？”

“唉，你知道，我被困在伦敦，**身无分文**，又没工作，吃饭都成问题。那天下午，我看到一则招聘广告，说有个什么北冰洋探险队的巴斯尔船长，要招叉鱼手，工资还挺高。”海员瞥了福尔摩斯一眼，继续说道，“这可是我的老本行！我就赶紧报了名，哼，结果中了你们的**圈套**。

“你说得很清楚。”福尔摩斯点上**烟斗**，慢悠悠地说道，“霍普金斯，赶快把犯人带走吧，有这个大块头在房间里，连个下脚的地方都没了。”

霍普金斯警探连连点头，说：“好的，先生！但我还是不明白，您到底是怎样找出真相的？”

“我刚刚跟你解释过，杀死黑彼得的很可能是个身材魁梧的海员。”福尔摩斯盯着那海员说，“从这一点切入，那么就要把目光转向‘**海上独角兽号**’了。我找来1883年这条船的花名册，上面记录着所有船员的信息。我看到帕特里克·凯恩斯时，心里就明白，快要水落石出了。你还记得吗？那小木屋的海豹皮烟丝袋上，绣着两个字母——‘P.C.’，你之前理解为黑彼得的名字缩写，其实，它也是这位船员的名字缩写。他刚刚杀了黑彼得，肯定还在伦敦周边溜达。所以，我就想了个办法——登一则北冰洋探险队的招聘广告，用丰厚的薪水招收**叉鱼手**——”

福尔摩斯得意地望向海员，说：“最终叉到了这条狡猾的大鱼！至于巴斯尔船长嘛，没错，正是本人。”

敲诈者

晚上六点半，贝克街221B的公寓里来了一位不受欢迎的客人——密尔沃顿。在福尔摩斯口中，他是一个臭名昭著的敲诈者。福尔摩斯为什么要主动请他上门呢？原来，这都是为了一位贵族小姐的委托……

这年的冬天格外寒冷。傍晚六点左右，福尔摩斯和华生从外面散步回来，看到桌上放着一张薄薄的名片。福尔摩斯拿起来看了一眼，说："呵，是他呀！"随即把名片扔到了地上。

华生把名片捡了起来。"密尔……沃顿……六点半来访。咦，他是什么人？"华生好奇地问道。

"伦敦城里数一数二的坏家伙！"福尔摩斯坐下来把腿伸到壁炉前，头也不抬地说，"六点半……嗯，那他快到了。华生，如果一条毒蛇睁着吓人的眼睛，吐着长长的芯子凑近你的脸，那是多可怕的感觉？我见过那么多罪犯，还没有这么讨厌过一个人呢。可是没办法呀，我受人之托、替人办事，今天就是我请他来的。"

"哦？"华生从没听过福尔摩斯这么形容一个人，"那他究竟是干什么的？"

"哼！臭名昭著的敲诈者。"福尔摩斯冷峻的脸上泛起一丝愠怒，“但凡有谁的把柄落到了他手里，他就会笑嘻嘻地找过来，敲诈你、勒索你，不把你身上的血汗钱榨干，他是不会**善罢甘休**的。就靠着这些阴毒的招数，现在的他可是富得流油咯！他搜集黑料的渠道**五花八门**。天知道他手里到底掌控了多少人的黑料……”福尔摩斯很少这么激动。

“就不能凭借法律的手段将他绳之以法吗？”华生问。

“理论上是可以的，但实际上根本做不到。被这条毒蛇要挟的人，都被他捏住了致命的把柄，谁敢冒着**身败名裂**的风险去举报他？”

“嗯……”华生点了点头说，“那你找他做什么？”

“我要跟他谈判。”福尔摩斯猛吸了一口**烟斗**，愤愤地说，“前几天，贵族小姐爱娃找我帮忙。你知道她吗？上个季度刚被评为社交界最美丽的女士。两个星期后，她就要嫁给一位伯爵了。没想到，在这个节骨眼上，密尔沃顿找上门来了。这家伙声称，他手里有爱娃小姐过去写给一个穷小子的情书，要是不给他一大笔钱，他就把情书交到伯爵手里。到时候，这婚肯定是结不成了！所以，我的任务就是代表爱娃小姐跟他谈判，把买回情书的价钱压到最低。”

话音未落，门外传来**嘚嘚嘚嘚**的马蹄声和**咔嗒咔嗒**

的车轮声。很快，一个裹着黑色羊皮大衣的男人走进了屋里。这人大约五十岁，脑袋很大，胖乎乎的脸上挂着不怀好意的笑容，两个灰眼珠在金边大眼镜后面滴溜儿转着，闪出锐利的寒光。

“你好啊，福尔摩斯先生。”密尔沃顿笑眯眯地伸出了右手。福尔摩斯一动不动，只是**冷冰冰**地盯着他。密尔沃顿耸了耸肩，把大衣脱下，放在椅背上，随后歪着脑袋坐了下来。

福尔摩斯面无表情地挤出几句话:“来吧，直接说条件吧。”

“嘿嘿，七千英镑，一个子儿都不能少。”

福尔摩斯挑了挑眉，问道："不然呢？"

密尔沃顿斜眼看着福尔摩斯，咧嘴一笑，说："你知道的，没有英镑，就没有婚礼。"

"你太**自以为是**了吧。"福尔摩斯提高了声调，"我会劝爱娃小姐说出实情。我相信，她的未婚夫会原谅她的。"

"哈哈，你太天真了吧！很显然，你对伯爵**一无所知**呀。"密尔沃顿怪笑着说，"我想到伯爵看到这些信的表情，哎哟哟，那得多吓人哪！不信，咱们就走着瞧。我这就去把信交给伯爵！"说着，他起身去拿羊皮大衣。

"等等！"福尔摩斯脸色惨白，强忍着怒火说，"我们再商量商量，这件事还有回旋的余地。"

密尔沃顿又笑嘻嘻地坐了下来，说："我就知道你是个聪明人。"

"你应该知道，"福尔摩斯板着脸说，"爱娃小姐根本拿不出这么多钱。她就算耗尽全部财产，也只能拿出两千英镑。"

"两千？哈哈哈哈！"密尔沃顿眨了眨眼睛，抠着指甲说，"你说得没错，这位小姐的确**不算富有**。但是呢，她要结婚啦，这不正是亲朋好友们表现的时候吗？与其买那些不中用的礼物，还不如把大家的钱凑起来，买下这几封珍贵的信……”

“这不可能！”福尔摩斯愤怒地打断了他。

“嘿嘿，你看看这个，”密尔沃顿掏出一本厚厚的笔记本，从里面取出一封便签，说道，“我最近还在和另一位贵族女士谈判呢。你看，信封上还印着家徽。实话告诉你吧，这封信足以毁了她的家庭。要是到明天，她还不肯把自己的**钻石饰品**换成钱交给我，哼哼，你跟爱娃小姐都可以好好留意下，看她会有什么下场。”

“毁掉别人的名声对你有什么好处吗？”福尔摩斯的双眼喷射着怒火，“爱娃小姐真的没有这么多钱，我没有骗你。”

“好处？”密尔沃顿用食指敲了敲笔记本说，“好处可大着呢！我还有七八笔这样的买卖要去做呢。这笔成交后，我的好名声就会传出去。就算咱们没谈成，爱娃小姐的狼狈下场也能吓唬吓唬他们。到那时，我看谁还敢不买我的东西！你说是吧？”

“你……”福尔摩斯气得从椅子上弹了起来，喊道，“华生，给我**堵住门**！我倒要看看，那笔记本里，究竟是些什么肮脏的玩意儿！”

“哦，不不不！”密尔沃顿像老鼠一样哧溜一下窜到墙角，翻开自己的上衣，露出腰间的一把**手枪**，说：“你以为我会空着手来吗？再说了，谁会蠢到把真正的把柄夹在随身携带的笔记本里？你可太低估我了！好了，时间不早了。我晚上还有约会，再见，福尔摩斯先生。”话音未落，他一个转身溜出门外。只听嘭的一声，门被关上了。嘚嘚嘚嘚的马蹄声又响了起来。

福尔摩斯一动不动地坐在壁炉前，足足有半个多小时。他凝视着炉膛里星星点点的炭火，一声不吭。突然，他站起身回到卧室。几分钟后，一个邋里邋遢、留着山羊胡子的工人从里面走了出来，嘴里还叼着一个烟斗。“华生，我晚点回来。”说完，福尔摩斯就消失在夜幕中了。

接下来一连几天，福尔摩斯都是这副打扮，早出晚归，谁也不知道他究竟在做些什么。直到一个风雨交加的夜晚，

屋外狂风呼啸，窗子被吹得噼里啪啦直响。福尔摩斯冒雨从外面赶回了家。他脱掉那身衣服，盯着壁炉咯咯地笑着说：“华生，你看我像快要结婚的人吗？”

“一点儿也不像。”

“哈哈哈，告诉你个好消息，我订婚了。”

“天哪！我祝你和——”

“和密尔沃顿家的**女仆**。”

“不！福尔摩斯！这太过分了吧！”

“唉，我需要情报嘛，就假扮成了一个管道工，每天陪那个女仆聊天啊，散步啊。哈哈，天知道我都跟她聊了些什么！不过现在呀，我已经对密尔沃顿家的情况**了如指掌**了。”

“可……那位被蒙在鼓里的姑娘呢？”

“华生，这是**迫不得已**的事。不过你放心，那姑娘不会受到多大的伤害，还有个小伙子正在追求她呢。我看姑娘对他也颇有好感，她很快就会忘了我的。哦，多么浪漫而美好的雨夜呀！很适合悄悄去‘拜访’密尔沃顿先生。”

华生惊讶地瞪大了眼睛，问道：“你是说……去他家**偷情报**？”

“对付这样的坏蛋，只能用非常规的方法。我得拿回那些惹祸的信，解救那位可怜的女士。”

华生心潮起伏。他在心里激烈地斗争了一番，挺起胸膛说：“带上我一起去吧！”

“这……好吧，好吧！”福尔摩斯拍了拍华生的肩膀，又走到书桌前，从抽屉里掏出一个小皮包，里面装着各种稀奇古怪的东西：万能钥匙、玻璃刀、夜视灯等等。

福尔摩斯笑着说：“嘿嘿，这可是我的百宝箱，保准能对付各种情况。对了，华生，你有走路时不会发出响声的鞋子吗？”

“倒是有一双网球鞋，橡胶底，走起路来软绵绵的。”

“棒极了！那面具呢？”

“这个简单，我用黑绸布做两个就好了。”

“哈哈，对于这种秘密行动，你可真有天赋呀。”福尔摩斯赞许地说，“密尔沃顿晚上十点半准时睡觉。我们等他睡觉后动手，无论如何都要赶在凌晨两点前取回信件。”

两人乔装打扮了一番，趁着浓浓的夜色出发了。快到密尔沃顿家了，福尔摩斯边走边说：“华生，那些信放在书房的一个保险柜里。我那位临时的‘未婚妻’告诉我，这家伙一向睡得很沉，估计在他门口敲锣打鼓也叫不醒他。他有个秘书白天总待在书房，所以，咱们只能晚上动手了。哦，华生，前面就到了，我们戴上面具吧。你瞧，院子里每一扇窗户都黑漆漆的，一切如我所愿。”

树影斑驳，空气中弥漫着一丝丝诡异的气氛。两人戴着**黑绸面具**，离目的地越来越近。他们悄悄溜到了阳台边。

“来，我们走这边，这是一间花房……”福尔摩斯从袋子里摸出玻璃刀，割掉门上的一圈玻璃，接着伸手进去打开了门。一进屋子，一阵浓郁的花香扑面而来，差点令人喘不过气来。

“嘘——”福尔摩斯抓住华生的手，在黑暗中猫着腰，沿着花房里的灌木丛快速朝前走。出了花房，他们又穿过了一扇又一扇房门。

突然，有个东西朝他们冲了过来，两人猛地顿住脚步，心脏**怦怦怦**地差点就要跳出胸膛了。“喵——”原来是一只猫。华生差点儿在黑暗中笑出声来。

终于，他们打开了书房的门。炉火把这间屋子照得红彤彤的，燃烧的木柴在壁炉中噼啪作响。福尔摩斯环顾四周，视线最终停在一个精致的书柜和墙角之间，那里静静地立着一个不起眼的**保险柜**。他低声对华生说：“就是那个保险柜！所有害人的黑料，都像定时炸弹一样藏在里面！”

不过，他没有直接走向保险柜，而是踮起脚尖走到一幅薄薄的门帘前，那道门通往密尔沃顿的卧室。福尔摩斯侧耳听了好一会儿，然后向华生点点头，暗示这里没动静。

华生被安排去寻找最快的撤离通道。他走到通往阳台的那扇门前。“咦？这门**没锁**！”他心里一惊，立刻朝福尔摩斯挥了挥手。

“嗯？”福尔摩斯显然也没预料到这种情况。他走过去看了一眼，压低声音说：“不妙，我也不知道是怎么回事。在有人出现之前，我们必须尽快找到那**几封信**。要是有人突然回来，我们事情还没办完，就赶紧躲到那边的厚窗帘后面。”他指了指壁炉旁一幅厚厚的窗帘。

华生用力点点头。此时此刻，他一点儿也不紧张了，反而按捺不住内心的激动，说：“这真是场有趣的冒险，我们就像是两位**蒙面骑士**，赶来这里斩杀恶龙。”

福尔摩斯走到保险柜旁蹲了下来，掏出鼓鼓囊囊的工具包，像外科大夫一样对着保险柜动起手来。

墙上的时钟嘀嗒嘀嗒地走着。半小时后，只听咔嗒一声，保险柜被打开了！里面塞满了**各式各样**的纸包，每一

包都用麻绳仔细捆着，上面还写着字。福尔摩斯取出其中一包，在夜视灯的照射下仔细查看起来。

突然，福尔摩斯停下来，竖起耳朵听了几秒，接着立刻关上保险柜的柜门，把工具往口袋里胡乱一塞，直奔那幅厚厚的窗帘而去，随后朝华生打了个手势："快过来！"

华生刚跳到那厚窗帘后面，就听见砰的一声，好像是外面的一扇大门被关上了。紧接着，一阵沉重的脚步声传来，有人在嘟嘟囔囔地念叨着什么。这声音到书房门口戛然而止，只听咔嗒一声，门开了，屋里的电灯亮了起来。一股刺鼻的烟味迅速在空气中飘散开来，直钻入人的鼻孔。那人先是在房间里踱来踱去，随后一屁股坐在书桌旁的红色皮转椅上。不一会儿，桌面上传来纸张翻动的声音，哗啦哗啦。

躲在窗帘后面的华生早已把两片窗帘分出一条细缝，两人透过缝隙静静地往外望去。那人胖乎乎的身子背对着他们，大脑袋的中间秃了一大块，几根细毛静静地趴在上面，真像是粘了几根毛的**大灯泡**。一看这脑袋就知道，此人正是密尔沃顿。他懒洋洋地靠在转椅背上，双腿伸直，嘴里叼着一根雪茄。

华生突然发现，就在密尔沃顿的不远处，保险柜的柜门细细地敞着一条缝。呀！刚才他们没关紧！华生碰了碰福尔摩斯的胳膊，两人紧张得几乎能听到对方的心跳声。

时间一分一秒地过去，书桌前的这个老头儿并没有要离开的意思。他几次起身后又坐下，还不耐烦地看了好几次钟表。最后，他随便拿起几张报纸，打着哈欠翻了起来。

这可把窗帘后面的华生急坏了。他心里一遍遍地盘算着要怎么溜出去："要是密尔沃顿发现**保险柜**被人打开了，我就立刻跳出去，用大衣死死蒙住他的头；要是他没发现，那我们就等着，他总会离开的……"

突然，阳台门外响起一阵细碎的脚步声，紧接着有人轻轻地敲了敲门。密尔沃顿起身走了过去。“你迟到了整整半个小时。”他有些恼怒地走回来坐回到椅子上。桌前，站着一位苗条的女士，脸上蒙着面纱，身上裹了一袭黑色斗篷。或许是由于过于紧张，她全身上下不停地**发抖**。

“你耽误我睡觉了，知道吗？”密尔沃顿没好气地说，“非要这么晚见面吗？”女士点点头。

“哦，那好吧。”密尔沃顿嘟囔着，“你不是总说夫人待你不好吗？听着，现在就是最好的复仇机会。你说……你有五封**秘密信件**，其中就有夫人的？既然你想卖，我想买，来吧，拿出来让我看看。如果真是好东西，我会——天哪，怎么是你？”

就在前一秒，桌前的女士默默地摘下了面纱。那是一张迷人的脸庞，皮肤黝黑，鼻梁略微弯曲，两道黑黑的眉毛下，是一双坚定的发光的眼睛。她的薄唇微微翘起，露出一丝耐人寻味的笑意：“没错，就是我。一个被你**毁掉一生**的女人！”

“哎呀，话可不能这么说！”密尔沃顿无奈地摊了摊手，眼里闪过一丝恐惧，“我只是个生意人嘛。再说了，我出的价钱你本来付得起，谁让你不付呢？”

“他死了！”女士把双手撑在桌子上，美丽的面孔瞬间变得狰狞起来，“就是因为你！你把信送到了我丈夫手里！他是那样一个高贵的男人，那些信伤透了他的心。现在呢，他死了！他死了！昨晚，我还在这里苦苦哀求你，呵呵，现在，我无牵无挂了，你还有什么遗言？”

“你！”密尔沃顿倏地站了起来，“别想吓唬我！你信不信，只要我把声音再提高一个分贝，立刻就有人来把你抓走。你可别不知好歹！怎么来的就怎么回去，别再出现在我面前。”

女士一动不动，薄薄的嘴唇抿得紧紧的，眼神中透露出丝丝寒光。

“你这个杀人诛心的恶魔！从今往后，你再也不能毁掉别人的人生了！你的好日子到头了！尝尝枪子儿的滋味吧！”

一枪，一枪，再一枪……子弹一颗接着一颗地打穿了这个坏家伙的胸口。他挣扎着**摇摇晃晃**地站了起来，大叫一声："你……你……"

又是**砰的一声**。密尔沃顿整个人瘫倒在地。

复仇者重新戴上面纱，穿过阳台没锁的那扇门，头也不回地走了出去。她刚离开，福尔摩斯就立刻跳到门边，把门锁上，然后回到保险柜前，从里面捧出一大摞扎好的文件，毫不犹豫地把它们扔进了壁炉里。一次，一次，又一次，直到保险柜里**空空如也**。

这时，一阵杂乱的脚步声和吵嚷声响了起来，越来越近。很快，有人从外面拧了一下门把手，紧接着是一阵砰砰砰的砸门声。

福尔摩斯一边烧着文件，一边环视屋内。桌上静静地躺着一封沾满鲜血的信，那大概就是密尔沃顿的**夺命信**。福尔摩斯快步走过去，拿起信飞快地扔进了壁炉里。

熊熊燃烧的烈焰，呼啦啦地吐着鲜红的火舌。等里面的文件都烧得差不多了，福尔摩斯扭头对华生说："我们走这边，从花园的围墙翻过去。"说完，他拉着华生冲出房门，向花园飞奔而去。

“抓住他们！抓住他们！”有人尖叫起来。闹哄哄的人群一拥而上。

不好！前面有一堵矮墙！

福尔摩斯奋力一跃，矫捷地跳了过去。正当华生吃力地攀上墙沿时，突然有一只手从下面伸过来，死死拽住他的脚踝。华生奋力扑腾了几下，这才**侥幸逃脱**。

两人一路狂奔，足足跑了几千米。终于，身后一点儿动静也没有了，他们这才停了下来，呼哧呼哧地喘着粗气，哈哈大笑起来。

漆黑的夜空，浓浓的月色，仿佛跟来时没有一点儿区别。

第二天清晨，还没等福尔摩斯和华生吃完早饭，雷斯垂德警探就面色凝重地上门来了。

“早上好，福尔摩斯先生。你最近忙吗？”

“还是有点儿空听你说话的。”福尔摩斯微笑着说。

“是这样的，昨晚发生了一起离奇的**谋杀案**。”雷斯垂德警探皱着眉头说，“密尔沃顿！你一定听说过吧？就是那个专门敲诈别人的大坏蛋。昨晚他惨死在家中，身上中了好几枪。屋里其他值钱的东西都还在，但那些文件，就是那堆可怕的黑料，被人一把火全都烧成了灰。看来，凶手们一定是些有头有脸的**大人物**。他们图的并不是钱，而是为了烧掉那些害人的文件。”

“哦？”福尔摩斯抬了一下眼皮说，“凶手……们？”

“是的！一共有两个人，差点就被我们抓了个现行。其中一个在翻墙时被人抓住了脚踝，可他猛踢了几脚，还是被他跑了！但你放心，有人看到了他的模样，中等身材，挺强壮的，虽然戴着黑色的面具，但还是能看出留着山羊胡子……”

“啊？”福尔摩斯摇了摇头说，“不知道的人，还以为你在说**华生**呢！”

雷斯垂德警探哈哈大笑起来，扭头看着华生，说：“哎哟，还别说，真跟你长得有点儿像哪！”

“不过……”福尔摩斯接着说，“雷斯垂德，这次我不能帮你。你也知道，密尔沃顿本来就不是什么好人，我同情那些被他毁掉人生的受害者，所以，无论如何我都不会接手这个案子的。”

雷斯垂德警探走后，整整一个上午，福尔摩斯都坐在书桌旁，皱着眉头，眼神空洞，仿佛在回忆着什么事情。

“啊！我想起来了！”午饭吃到一半时，他突然大叫起来，“华生，快跟我走一趟！”

他们穿过大街小巷，走到一家商店的橱窗前，里面摆满了各种尊贵人物的照片。

“你看她……”福尔摩斯指着一位贵族姑娘的照片。那是个年轻美丽的女士，身着皇室的衣服，**雍容华贵**，鼻梁有些弯曲，眉毛黑黑的，薄唇抿得很紧。

“她……她不是……”华生想到了昨晚秘密行动时看到的黑衣女子。他再看向照片，旁边写着女士丈夫的名字。哇，那可是一位声名显赫的政治家呀！华生惊讶得张大了嘴巴，结结巴巴地说：“难……难道……这位姑娘就是昨晚的复仇者？她……她的丈夫原来是……这位？”

“嘘——”福尔摩斯把食指放在嘴边，示意华生保持沉默。随后，两人迈着沉稳的步伐离开了。

六座拿破仑半身像

有人接连砸碎了两个地方的三座拿破仑半身像！这件奇怪的小案子，竟然引起了福尔摩斯的强烈兴趣。福尔摩斯正要开始调查，案情却突然急转直下。又有新的拿破仑半身像被砸碎了！这一回，一桩谋杀案也被牵扯了进来……

这天晚上，雷斯垂德警探又来到贝克街拜访福尔摩斯。他呆呆地坐在椅子上抽烟，一言不发。福尔摩斯饶有兴味地盯着他问：“最近又有什么奇怪的案子吗？”

雷斯垂德**心不在焉**地摇了摇头，说：“哦，没有，没什么不同寻常的。”

“讲来听听看。”福尔摩斯嘴角划过一丝笑意。

“哈哈哈哈！”雷斯垂德警探笑了起来，“我就知道，什么都逃不过你的眼睛。我确实是在想事情，但这事也太荒唐了。我看哪，怕是跟华生医生有点儿沾边呢。”

华生疑惑不解地问道：“哦？是跟什么疾病有关吗？”

“呵！是种疯病，非常奇怪的疯病！”雷斯垂德警探皱着眉头说，“你们说说看，拿破仑都去世这么多年了，怎么还有人对他这么**恨之入骨**？竟然特意闯进别人家，把他的雕像砸了个稀巴烂……你说这家伙是不是得了疯病？”

拿破仑曾经是法国的皇帝，在战场上威名远扬，有人崇拜他，也有人恨他。提到这位伟人，原本靠在椅背上的福尔摩斯似乎来了兴致。他坐直身子问道："哦？闯进别人家去砸拿破仑的雕像？来，详细讲讲看。"

雷斯垂德掏出笔记本，说："嗯……四天前，一个卖雕像的老板来报案，说有人闯进店里把柜台上的一座**拿破仑半身像**砸了个稀巴烂，然后就跑了。老板那会儿没在柜台，没看到是谁干的。你们说这是怎么回事？其实那雕像并不值钱，只值几个先令。会不会是什么人搞的恶作剧？"

福尔摩斯若有所思地托着下巴，问道："只发生了这一件

怪事吗？”

雷斯垂德警探回答道：“你说巧不巧？昨晚又发生了**同样的案子**。有个叫巴尼科特的医生，非常崇拜拿破仑，他买了两座拿破仑半身像，一座摆在家里，另一座摆在诊所里。谁知道，这个医生今天一起床就被吓得不轻，屋里的拿破仑雕像不知道被谁搬到了花园里，砸得粉碎。他中午到诊所上班时，居然发现诊所里的另一座拿破仑雕像也被人砸了……”

“嗯，是有些古怪。”福尔摩斯点了点头，话锋一转，“那么，巴尼科特医生的两座雕像和商店里被砸的那座，是一模一样的吗？”

“**完全一样**！巴尼科特医生的雕像就是在那个商店里买的，对了，店老板叫哈德逊。”雷斯垂德警探答道。

福尔摩斯搓了搓手，说：“这说明，砸碎雕像的人并不是对拿破仑恨之入骨。要不然，全伦敦那么多拿破仑雕像，他怎么就只挑这三座一模一样的下手呢？”

“我也有这样想过。”雷斯垂德警探解释道，“但还有一种可能性。虽然全伦敦有**成千上万**座拿破仑雕像，但在案发地区说不定刚好只有这三座。华生医生，你对这种疯病怎么看？”

华生思忖了一会儿，用手撑着下巴尖说：“这人有可能是个‘意念’型偏执狂。他因为看了拿破仑的书，或是受到家庭的影响，对拿破仑产生了某种不理智的执念，所以才干了这一连串的**疯狂事**。”

福尔摩斯摇了摇头，说：“这完全说不通。执念可没有长腿，不会帮他找到三座一样的半身像！”

“嗯，有道理。”华生点着头说，“那该如何解释呢？”

“有一点很奇怪。”福尔摩斯接着说，“这人虽然古怪，但头脑还是清醒的。为了不吵醒医生一家，他把雕像搬到花园里砸碎。而在没人的诊所，他就直接在屋里把雕像砸碎了。呵呵，这些线索看起来确实无关紧要，但真相往往就藏在细节里。”

事实上，这桩案子的发展，远比福尔摩斯想象的快，而且越来越**扑朔迷离**了……

第二天一早，福尔摩斯敲开华生的卧室门，手里捏着一封电报走了进来，边走边念：

> 请立即到彼
> 特街 131 号来。
> 雷斯垂德

“哦？又发生什么事了？”华生问道。

“我也说不准。”福尔摩斯摇了摇头说，“估计又是拿破仑雕像的事。华生，我已经叫了马车，你收拾一下，我们马上出发。”

伴随着一路上咔嗒咔嗒的马车声，半小时后，福尔摩斯和华生来到了电报中提到的彼特街。131 号公寓远远地坐落在一排美轮美奂的楼房中，门外黑压压地挤满了好奇的人群。

马车刚在 131 号公寓门口停下，福尔摩斯立刻就跳下来说：“看来不是个小案子。伦敦的报童啊，向来只会为了报纸头条停下脚步。”

不一会儿，雷斯垂德警探满脸严肃地走出来，把他们俩迎了进去。客厅里，一位裹着法兰绒晨衣的老先生眉头蹙成一团，正来回搓着手，焦急地走来走去。

雷斯垂德介绍道：“这位是房子的主人哈克先生，中央新闻社的记者。他家的拿破仑半身像也被砸了，但这回还牵扯到一桩**谋杀案**！哈克先生，说说事情的经过吧。”

哈克记者情绪激动地说：“哎，久仰福尔摩斯侦探的大名。天哪！我是个记者，一辈子都在收集别人的新闻，可这回真正的大新闻发生在我自己身上，却一时不知从何说起呀……”

福尔摩斯坐下来，耐心地等他平复心情。

“好吧，现在我可以开始讲了。四个月前，我从哈丁兄弟的商店淘来了这座雕像。我搞新闻工作，熬夜是**家常便饭**，昨晚又熬到凌晨三点。当时我在楼上的书房里，突然听到楼下传来一阵奇怪的响声。过了五分钟，又听到一声凄惨的尖叫声。那声音太可怕了，我吓得瘫在椅子上，足足愣了两分钟。好不容易回过神来，我抓起一根铁棍，猫着腰走下楼梯。前脚刚踏进一楼的房门，就发现窗户大开着，旁边壁炉上的**拿破仑半身像**不见了！我真是不明白，小偷为什么要偷这个雕像？它是个便宜货，一点儿也不值钱。后来……”

说到这里，哈克显得更紧张了，眼睛瞪得像铜铃：“我摸黑走到屋外，突然被绊了一跤。我低头一看，天哪！居然是个**死人**！地上还有一大摊血。哦，太可怕了！我赶紧吹响了警哨，后来就两腿发软晕了过去。等我醒来时，我发现自己已经躺在客厅了，旁边就是这名警探。”

“那么……”福尔摩斯眉头一皱，转头问雷斯垂德警探，“受害人是谁？”

雷斯垂德摇了摇头，说：“看不出是谁，他身上没有可以证明身份的线索。看长相，他应该不到三十岁，皮肤黝黑，身材又高又壮。衣服虽然破破烂烂的，但不像是干粗活的。在那一大摊血里，还有一把**牛角刀**，也不知道是遗物还是凶器。他口袋里有一根绳子、一张伦敦地图。对了，还有一张旧照片。给，就是这张。”

福尔摩斯接过照片，仔细端详起来。照片里的这张脸很是奇特……

显然，照片是用小型相机拍的快照。这张脸长得跟狒狒似的，**尖嘴猴腮**，丑陋而又怪异，从颧骨到下巴全都朝外

凸着，眼睛上方是两道又粗又浓的眉毛。

福尔摩斯看了一会儿照片，又转头仔细检查屋子的窗户和地毯。“偷走雕像的人个子不是很高，但人很灵活。你们看，这窗台挺高的，想跳上去并不容易。对了，那座失踪的半身像找到了吗？”福尔摩斯问道。

“在附近一座空房子的花园里，已经被砸碎了。”雷斯垂德答道，“你们要一起去看看吗？”

“这个嘛……我……”老记者哈克**犹豫不决**地说，“虽然已经有报纸报道了这桩案子，但是……发生在我自己身上的新闻，我什么都不写的话……也说不过去吧。嗯，我还是留下来写新闻稿，你们去看吧。”

福尔摩斯一行人踏出 131 号公寓的房门。静悄悄的屋子里，只剩下笔尖划过纸张的沙沙声。

不一会儿，大家来到了发现雕像碎片的空房子里。无数块碎片杂乱地散落在花园的草坪上。福尔摩斯捡起一小块，**全神贯注**地研究了起来。他若有所思地说：“在这个疯子眼里，几座不值钱的雕像可比人命重要多了！奇怪，如果他只是为了砸碎雕像，那直接在记者家门口砸不就行了？为什么要把雕像搬到这里来呢？”

雷斯垂德警探皱着眉头想了一会儿，说：“大概……大概是因为空房子里没人，不容易被发现吧？”

福尔摩斯摇了摇头，说：“在距离记者家更近的地方，还有一座空房子，为什么不去那里，非要**舍近求远**地来这里呢？但凡在路上多走一步，就多一分危险哪！”

雷斯垂德警探和华生茫然地看着他。福尔摩斯指了指头顶上的**路灯**，说：“这就是答案。在这里可以看清东西，但在那座更近的空房子里却不行，因为那里没有路灯。”

“哦哦哦！我想起来了！”雷斯垂德警探眼睛一亮，“巴尼科特医生家的雕像也是在靠近灯光的地方被砸碎的！”

福尔摩斯笑了笑，看向雷斯垂德，问道：“那么，你下一步打算怎么做？”

“嗯……查清记者家门口的死者是谁，再沿着他的社会关系网顺藤摸瓜，肯定能找到重要的线索。”

“嗯，不错。”福尔摩斯说道，“但我有另一个办法。这样吧，我们**兵分两路**，分头行动。这样可以交换信息，互相补充，怎么样？”

“好主意！”

“雷斯垂德，你回去后如果见到那位老记者，就告诉他，我们认为昨晚是一个杀人狂溜进了他家，因为凶手恨极了拿破仑，所以疯狂地砸碎了雕像。这一定对他写文章有帮助。”

“嗯……你不会真的这么想吧？”雷斯垂德问。

福尔摩斯微微笑道：“也许是，也许不是。但这肯定是个**大新闻**。死者口袋里的这张照片……我先收着啦。现在我们分头行动。晚上六点，你能来我家一趟吗？可能会需要你的帮助。”

“没问题。”雷斯垂德爽快地答应了。

没多久，福尔摩斯和华生一同来到了**哈丁兄弟**的雕塑店，记者家的拿破仑半身像就是在这里买的。

“请问，哈丁先生在吗？”福尔摩斯问。

“他不在，下午才能来。”店员瞥了他一眼，冷冷地说。

“那么，你们店里卖的拿破仑雕像是从哪里进的货呢？”

店员不耐烦地说：“我刚来店里没几天，什么都不知道。”

福尔摩斯失望地耸了耸肩，对华生说：“算了，我们先去另一家商店吧，哈德逊先生的那家。他是第一个报案的。”

一小时后，两人乘着马车，来到了**哈德逊**的商店。这位店老板个子不高，面色红润，但是脾气有些暴躁。

当福尔摩斯说明来意后，他没好气地抱怨道："对！我这里是有座雕像被人砸了！真是晦气！光天化日之下，什么人都敢闯进来乱砸东西！哦，你问我从哪里进的这些雕像？就是那家有名的盖尔德公司啦。我一共就进了三座。"

福尔摩斯递上照片，问道："你见过这个人吗？"

哈德逊老板瞄了一眼，吃惊地说："咦，这不是**贝波**吗？他是意大利人，给我干过活，会点雕刻啊，镀金啊什么的，人倒是挺勤快的，不过他上星期辞职了。"

走出商店时，天上的几朵乌云渐渐消散。福尔摩斯的脸上露出了欣喜的笑容："亲爱的华生，你发现没有，记者家门口的死者和这家哈德逊商店，都跟照片中那个叫贝波的家伙有关系。现在，我们立刻去**盖尔德公司**，那里才是这些雕像的真正源头。"

福尔摩斯和华生坐上马车，飞快地穿过伦敦的繁华市区，来到了泰晤士河畔的一个小镇。这里挤满了来自欧洲各地的流浪者。生产拿破仑雕像的盖尔德公司坐落在一条宽阔的大街边上，院子里堆满了石碑等物件。厂房里有五十多个工人在干活。

接待福尔摩斯的工厂经理是个身材高大、长相斯文的德国男人，他彬彬有礼地回答着每一个问题："请稍等。嗯……让我查查账本。去年 7 月 3 日，卖给哈德逊商店三座拿破仑雕像，后来哈丁兄弟商店也买走了三座。这六座雕像都是用同一个模具做出来的，没有任何差别。"

福尔摩斯又拿出了那张照片，问道："先生，你见过这个人吗？"

经理一看到照片，瞬间就涨红了脸，刚才的绅士风

度也不见了："又是贝波！我们公司原本名声很好，唯一一次惹上官司，就是因为他！一年多以前，这家伙跟一个意大利人打架，用刀捅伤了对方。之前我雇用他，是看他手艺不错，但没想到他这么爱惹事。我真是看走眼了！"

福尔摩斯问："他后来被定的是什么罪？"

经理没好气地说："好在被捅的人没死，所以贝波只被判了一年刑，估计现在已经出狱了吧。哦，对了，贝波的表弟也在这里上班，你们要不找他问问情况？"

"不！千万不要！"福尔摩斯连忙阻止，"跟他表弟一个字也不要提，这件事情太严重了！别告诉任何人我们来过。给你添麻烦了，经理先生。"

福尔摩斯和华生离开工厂后，又忙活了半天，直到下午四五点才匆匆找了一家餐厅吃午饭。这时，门口传来报童的叫卖声："疯子杀人啦！疯子杀人啦！疯子在记者家门口杀人啦！"

福尔摩斯买了一份报纸边吃边看，忍不住咯咯笑出声来："妙啊！华生你看，老记者哈克写了整整两栏报道。哈哈哈，这段太有意思了！我念给你听听：'让我告诉各位读者，著名警探雷斯垂德和大侦探福尔摩斯的看法一致。这接二连三的砸雕像事件，都是一个疯子的荒诞行径，并非是蓄意谋杀案。’哈哈哈，华生，报纸如果利用好了，就会成为我们的好帮手！现在，咱们再去一趟哈丁兄弟商店吧。”

哈丁兄弟商店的老板又瘦又矮，但思维非常敏捷：“没错，福尔摩斯先生，我已经在报纸上看到了这桩案子。事情嘛，要从几个月前讲起……

“我们从盖尔德公司进了**三座**拿破仑半身像。一座卖给了你说的老记者哈克先生，另外两座嘛，都在这本子上记着呢！布朗先生和桑德福特先生也各买了一座。照片上的人嘛，倒是没见过。他长得很奇特，遇到的话肯定会印象深刻。你问店员里有没有**意大利人**？有几个清洁工和搬运工是从意大利来的。”

福尔摩斯一边听着，一边在本子上写写画画。从他上扬的嘴角不难发现，这些线索让他很满意。与商店老板道别后，福尔摩斯和华生立刻赶往贝克街。

回到家时，雷斯垂德警探已经先到了，这会儿正在客厅里焦急地来回踱步。看到福尔摩斯他们俩回来，他焦急地走上前，说道：“哎呀，福尔摩斯，你可算回来了！死者的身份和这桩谋杀案的**犯罪原因**都查出来了！”

“哦？是吗？”福尔摩斯挑了挑眉说，“你说说看。”

“事情是这样的。我们有位警官专门管理意大利人居住的片区，他一眼就认出了死者。惨死的倒霉男人是伦敦有名的**强盗**，名叫彼得罗。他可能还是**黑手党**的成员。这个组织经常通过暗杀来清理违反党规的人。这样看来，凶手很可能也是个加入了黑手党的意大利人，因为违反了党规而被彼得罗追杀。这也能解释为什么彼得罗的口袋里装着一张**照片**，很明显是为了确认追杀对象！彼得罗跟踪那人到了老记者家门口，躲在外面等他。谁知道，后来他自己反而在打斗中被对方杀死了。”

“分析得妙极了！”福尔摩斯鼓起掌来，“不过……那些被打碎的雕像又是怎么回事呢？”

“雕像！雕像！”雷斯垂德警探有些着急，“你就是绕不开这堆便宜货。那种偷鸡摸狗的小事根本不值一提。真正应该调查的是这桩**谋杀案**哪！我们手里已经有证据了，接下来只要把照片上的杀人犯抓住，不就行了吗？我马上就去意大利人住的片区调查，你要一起去吗？”

福尔摩斯摇了摇头，说：“我能用更简单的办法抓住凶手。不是去意大利人住的片区，而是另一个片区。怎么样，一起去吗？我们先吃个晚饭，夜里十一点左右行动。

对了华生，你打电话叫下邮递员，我有封**快信**要立刻送出去。”

紧接着，福尔摩斯就往阁楼上走，边走边说了句：“我上去翻一翻旧报纸。”他下来时，眼里闪着希望的光芒，说道：“华生，记得带上**手枪**。”

到了夜里十一点多，福尔摩斯带着华生和雷斯垂德警探来到一条偏僻的大街。道路两旁都是带花园的别墅，其中一栋的门牌上清楚地写着——**金链花别墅**。

这栋别墅的周围一片漆黑，仅有一丝微弱的灯光从门口的小窗户透出来。

福尔摩斯躲在黑影里压低了声音，说：“我们可能得等很久。”

然而，没过多久，只听吱呀一声，别墅外的花园大门被人推开，一个敏捷的身影如猴子般溜进了屋子。随后屋里传出一阵嘎吱嘎吱的轻响。不一会儿，透过窗帘，屋里有灯光闪了一下，接着又在另外两个窗口闪了闪。那人看着像是在找东西。

雷斯垂德警探猫着腰低声说：“门口那扇窗户开着，我们不然去那里候着，等他一出来，立刻就能把他逮住。”

谁知，还没等三人起身，刚刚的身影已经从屋里出来，窜到了那扇窗户下面。他腋下夹着一件什么东西，小心翼翼地东张西望，见四下没人，便把手里的提灯放在了草地上。

很快，夜幕下响起了砰的一声脆响，接着是一连串稀里哗啦的碎裂声。

在黑暗中观察的三人瞪大了眼睛。那人在草地上砸碎的，正是一座拿破仑半身像。他举起一块碎片仔细端详。突然，有人从后面像猎豹般扑到他的身上。还没等他回过神来，他的双手已经被四只有力的手牢牢箍住，紧接着手腕上传来金属的冰凉感。

他挣扎着扭过脸来，尖嘴猴腮的脸庞不停地抽搐着，两道粗粗的眉毛拧成麻花，喉咙发出嘶嘶的低吼，眼睛直勾勾地怒视着面前的三个人。

福尔摩斯拍了拍手，一言不发地从他身旁走到门口的台阶上，捡起一块雕像碎片，说：“哦，这座也不是我要找的。”话音未落，屋里客厅的灯突然亮了。很快，一个身着衬衫和长裤的男人开门走了出来。他长得胖乎乎的，但是看起来很和蔼。

福尔摩斯转身问道："想必你就是布朗先生吧？"

"是的。"胖男人笑着点了点头说，"你肯定就是福尔摩斯先生吧？我按你在快信里说的做了安排。能抓住这个疯子，我真是太开心了。"

他们从刚才抓到的那人身上搜出了一把长刀，刀把上还残留着新鲜的血迹。

雷斯垂德警探激动地握住福尔摩斯的手，说："真得好好谢谢你，帮我巧妙地抓住了凶手。但你到底是怎样做到的啊？"

"现在还不是揭开谜底的时候。"福尔摩斯说，"你明晚六点来我家，到时肯定会水落石出。"

第二天晚上，雷斯垂德警探赶到贝克街，一进门就叫嚷起来："福尔摩斯先生，我都弄清楚了！犯人是个意大利家伙，名叫贝波，整天游手好闲。他本来有一手雕刻的好本事，但后来走上了歪路，不仅干些小偷小摸的勾当，去年还用刀刺伤了一个意大利人。对了，我们警方已经查出来了，那六座雕像很可能就是贝波在盖尔德公司亲手做的。"

福尔摩斯心不在焉地听着，眼神有些飘忽。突然，门铃响了，福尔摩斯腾地从椅子上站了起来，两眼发光。不一会儿，一位灰胡子老人走了进来，手里提着一只破旧的皮包，问道："请问，福尔摩斯先生在这里吗？"

"想必你就是桑德福特先生吧？"福尔摩斯笑着迎了上去。

"抱歉，因为火车晚点，我来晚了。你在信里说，要用十英镑买我手上的这座**拿破仑半身像**，是真的吗？你怎么知道我有这座雕像呢？"

"呵呵，是商店老板告诉我的。"

"哦，原来如此……这座雕像有那么**特别**吗？我是个实诚人。实话告诉你吧，我买这座雕像只花了十五先令，你真要花那么多钱买吗？"

"桑德福特先生，你真是个诚实的人。既然我已经说过了，就愿意还是按十英镑的价格付款。"

"嘿嘿，你真慷慨！"桑德福特边说边打开手提包，"这就是你要的雕像。"直到这时，在场的其他人才头一回看到了**完整的**拿破仑半身像，之前看到的都是残破的碎片。

福尔摩斯从口袋里掏出一张十英镑的钞票，还有一张纸条，说："桑德福特先生，请你当着两位证人的面，在这张纸条上签个字吧，证明你把这座雕像的所有权利都转让给我了。嘿嘿，我是个保守的人，还是立下字据比较好。"

桑德福特高兴地接过钱，毫不犹豫地在纸条上签了字。他刚离开公寓，福尔摩斯就走到桌前铺好一块白布，再把刚买来的雕像端端正正地放在了上面。紧接着，令人意想不到的事情发生了。只见他拿出猎枪，对着拿破仑半身像的头部狠狠地砸了一下。

砰——**哗啦**——**来之不易**的第六座雕像，也瞬间变成了一堆碎片……

福尔摩斯立刻弯下腰去，在这堆碎片里仔细找着什么。

“啊！哈哈哈哈！”他突然大叫一声，得意地举起一块碎片。那白色的石膏里嵌着一颗黑点一样的东西，就像是布丁上的葡萄干。

“先生们！请允许我向你们介绍——著名的**鲍吉亚黑珍珠**！”

一旁的雷斯垂德警探和华生都惊诧不已！两人愣了好一会儿，才缓过神来，使劲鼓掌：“太精彩了！太精彩了！”而福尔摩斯呢，脸颊泛红，朝着两个朋友鞠了一躬，就像谢幕的戏剧大师一样。

“这是世界上最珍贵的珍珠之一，**价值连城**！我的运气真是太好了！”福尔摩斯摩挲着珍珠，脸上是止不住的笑意，“我一开始就知道，贝波在找一样珍贵的东西，而这东西，很可能是他自己藏在这六座雕像里的。我从已知的一些珍贵珠宝遗失案着手去调查，最后发现，这颗黑珍珠和我们这桩案件之间有牵连。雷斯垂德，你还记得吧？当时的**珍珠失踪案**可是轰动全国。警方费尽周折，依然没有找到珍珠的去向。我当初认为，很可能是王妃的一个女仆偷走了珍珠。她姓维努奇，是意大利人，她在伦敦还有一个兄弟。但那桩案子后来**不了了之**。你们猜，这回我发现了什么？死者彼得罗也姓维努奇！我非常怀疑他就是王妃女仆的兄弟！后来，我查了一下旧报纸的日期，你们知道吗？之前贝波因为打架捅伤人而被捕，就发生在珍珠失踪后的那一两天。而当时跟贝波打架的那个人，很可能就是彼得罗。”

雷斯垂德警探有些疑惑不解：“那他们为什么要打架呢？”

“就是因为它！”福尔摩斯举起珍珠说，“这颗价值不菲的珍珠！贝波可能是从彼得罗那里偷来了珍珠，或者他们本来就是同谋，因为**分赃不均**起了争执。而贝波被追捕时，身上正藏着这颗珠子。警察一路追来，贝波只好跑进自己工作的工厂，也就是盖尔德公司。巧的是，当时过道里正摆着六座还没吹干的拿破仑半身像，底座的石膏还是湿软的。贝波赶紧在其中一座的底部挖了个小洞，把珍珠放了进去，然后又把小洞抹平。这可真是个**绝招**！后来，贝波入狱一年，这六座拿破仑半身像都被卖了出去。出狱的贝波，第一时间当然是要去寻找珍珠。”

雷斯垂德警探追问道：“他怎么知道那六座雕像被卖到哪里去了呢？”

“呵呵，他有个表弟还在盖尔德公司工作，贝波就是从他那里打听到，雕像分别被卖到了哈德逊商店和哈丁兄弟商

店。他先是想办法在哈德逊商店找了份活计，并很快找到那家店卖出去的三座半身像。他砸开一看，发现里面什么都没有。所以，他又辗转找到哈丁兄弟商店的意大利雇员，从账本里找到了另外三座雕像的去处。而在老记者家门口，贝波被一年前结仇的彼得罗找到了，两个人打了起来，倒霉的彼得罗被**一刀刺死**。”

“可是……既然彼得罗认识贝波，为什么身上还要带着他的照片呢？”华生问道。

“这很简单。”福尔摩斯接着说，“因为彼得罗要拿着照片向别人打听贝波的下落。既然已经有四座雕像被砸了，贝波又怎么会放过最后两座呢？我查过了，那两位买家中，伦敦城里的布朗先生住得离贝波更近，所以我判断他会成为第五个作案对象。我赶紧给布朗写了一封**快信**，告诉他晚上会有人去砸雕像，让他保护好自己。至于第六座嘛，哈哈，刚才被我亲手砸碎了，正如我所料，**黑珍珠**就在这里。”

此时此刻，华生目瞪口呆，愣愣地站在原地。一旁的雷斯垂德警探也惊掉了下巴，发自内心地称赞道：“福尔摩斯先生，真是太妙了！太妙了！我们都为你感到骄傲！”

三个大学生

福尔摩斯和华生搬进了一座著名的大学城。没多久，学院的索姆斯老师上门拜访，声称自己遇到了一个大麻烦。索姆斯负责学院的奖学金考试，今天外出回到家，他发现家里的试卷被人偷看过了！如果不能尽快找出偷看试卷的人，学院的名誉就会毁于一旦……

因为接二连三的案子，福尔摩斯和华生不得不搬进了一座著名的大学城里。

一天夜里，圣路加学院的索姆斯老师突然来访，一进门就带着哭腔嚷嚷起来："哦！福尔摩斯先生，你一定要帮帮我呀！就在刚才，学院遇到了一个**大麻烦**！要是没处理好，学院的名誉就要毁啦！我……我不敢报警，一报警，局面就控制不住了。现在，全世界……只有你能帮我了！"

福尔摩斯无奈地耸耸肩，默许他接着讲下去。索姆斯慌乱地打着手势，语无伦次地说：

"明天……哦，明天是学院的**奖学金考试**。这笔奖学金的金额非常高，所以学生都很重视。我是其中的一个出题人。今天下午三点，印刷厂把试卷清样送了过来，我仔仔细细地校对了半天，到四点半还没校对完。但是因为之前跟朋友约好了要见面，所以我把卷子留在桌上，出了一趟门。

我保证，我出门时把门锁得好好的，而且也就离开半个多小时！可是我回来时，居然看到门上插着一把钥匙。我还以为是自己忘记拔了，赶紧一摸口袋，钥匙还在呀。除了我，就只有老仆人班尼斯特还有钥匙。我找他询问，他说，他那会儿给我送茶过来，开门后忘记拔钥匙了。”

话说到一半，索姆斯老师显得更加焦躁，他不安地挥舞着双手，说：“我一回屋就发现，**有人动过桌上的考卷了**！考卷一共有三张，原本都整整齐齐地放在桌上，但那会儿呢，一张在桌上，一张在地板上，还有一张在窗边的小桌子上。我震惊得心脏都快裂开了。老仆人发誓说他绝对没动过考卷。他跟了我十年，一直都很老实可靠，我相信他。这么说，难道是学生从外面溜进来偷看了考卷？哎呀呀，哎呀呀！事情简直是**糟透了**！这次考试涉及那么一大笔奖学金，这可怎么办呢？如果我不能尽快找出偷看考卷的人，这次考试就不能正常举行。那样的话，事情可就闹大了，到时候全世界都知道我们学院的学生偷看考卷。这对学院的声誉影响多大呀！而且，偷看考卷的学生恐怕因为这一次错误……这辈子就全毁了。所以……我还是希望这事能……私底下处理好。”

听到这里，福尔摩斯终于对这个案子提起了兴趣，他问道："那么，你还有其他发现吗？"

"有！"索姆斯接着说，"我在窗边的桌子上发现了一堆**铅笔屑**和一小截断了的**铅笔芯**，肯定是那个人抄卷子的时候留下的。哦，对了，我那张大书桌也出了状况，它的红色皮革上冒出了一道**明显的划痕**。那桌子很新，之前肯定没有这道划痕。桌子上还有一个小小的**黑色泥团**，上面

沾着一些锯木屑。”

福尔摩斯一边穿大衣，一边**饶有兴味**地问：“真是有意思。试卷送来后，还有其他人来过你房间吗？他们知道你有卷子吗？”

索姆斯的头摇得像拨浪鼓。“除了过来送试卷的印刷工，绝对没有其他人知道！下午倒是有一个印度学生来找过我，但当时试卷是卷起来的，他应该看不出上面印着试题。”

“你的老仆人，呃，班尼斯特是吧？他知道试卷的事吗？他现在人在哪里？”

“他压根儿不知道考卷的事！谁都不知道！他身体不舒服，跟瘫了似的，一直坐在椅子上。”

福尔摩斯若有所思地说：“这么说，很可能是有人**偶然**发现了试卷，想赶紧抄下来。走吧，我们一起去你家看看。”

他们赶到索姆斯老师住的房子时，已经是傍晚时分。索姆斯老师住在一楼，大门口有几阶石梯。客厅有一扇又大又低的窗户，正对着**郁郁葱葱**的庭院。除此之外，还有三个大学生住在这栋房子里，一人一层。索姆斯是他们的导师。

福尔摩斯站在庭院里，踮起脚朝一楼的窗户看了一会儿，说：“嗯，看来外头没什么可查的，我们进屋瞧瞧吧！”

进门后，福尔摩斯往里扫了一眼，问道："你的仆人刚刚坐在哪把椅子上？"

索姆斯用手指了指，说："就是窗户边上的那把。"

"明白了。"福尔摩斯一边环顾四周，一边接着说，"这里有两张桌子，那人肯定是把试卷从中间的大书桌上拿到了窗边的小桌子上，这样看到你回来，可以**及时逃跑**。嗯……让我再看看这些卷子。看不出指纹，试题的字数倒是很多，就算是快速抄完一份，怎么也要一刻钟吧？他大概是抄完一页，先扔到地上，然后再抄第二页。抄到一半，他突然发现你回来了，就匆忙扔下卷子，**慌不择路**地逃跑了。不过，你到家时，有没有听到石梯上的脚步声？"

"不，我没有听到什么脚步声。"索姆斯老师回答道。

"好的。"

福尔摩斯举起那截**被折断的铅笔芯**，说："瞧！他一定是想要尽快抄完，才一不小心把铅笔芯弄断了。有意思的是，这支笔可不寻常啊！它比普通的铅笔粗一些，内芯还是软铅，笔杆是深蓝色的。铅笔只剩下三四厘米这么长。如果能找到这样一支铅笔，也就能找到那个人了！另外，从铅笔屑来看嘛，那人大概用了一把很大但又很钝的刀，这又是另一条线索了……”

索姆斯不解地挠了挠头，问：“别的我还能理解，但你怎么知道铅笔只剩下三四厘米长呢？”

福尔摩斯递过来一小片铅笔屑，说：“你们看，这上面有字母 NN。你们知道那家最大的铅笔制造商吧，它名字的末尾就是 NN。这支笔都已经削到这两个字母了，说明用得只剩下一小段了，差不多就是三四厘米。”

“哦……听起来挺有道理。”索姆斯恍然大悟。

“我们再来研究下中间的这张书桌。咦？索姆斯，这就是你说的黑色的小泥团吧？它的样子看起来是金字塔形状的，真是妙极了。”福尔摩斯轻声笑着说，“我们去你的卧室看看吧。出事后，你进过卧室吗？”

“没有。你进去看看吧。”

福尔摩斯边走边说：“真是古色古香的房子呀！床很低，衣柜又很浅，盗贼要是想藏到卧室里……啊哈，有了！那就只能藏在这个帘子后面了！”

福尔摩斯猛地掀开帘子，里面除了几套衣服挂在衣钩上，其他什么也没有。突然，他弯下腰，笑着说：“哈哈哈！你们瞧，这是什么玩意儿？”

那是一个金字塔形状的**黑色小泥团**，和客厅里的几乎一模一样。

“索姆斯先生！”福尔摩斯转过身来说，“我想，那小贼肯定是来过你的卧室了。你开门的时候，他来不及溜走，只好先钻到这个帘子后面躲起来。你跟我说过，这栋楼上的**三个大学生**都要从你门前走过，那他们都参加这次奖学金考试吗?”

“是的，先生。”

福尔摩斯的眼神突然犀利起来，他问道：“你觉得谁更有可能溜进来偷看卷子呢？”

“无凭无据，我不好随便说啊。但一定要猜的话……”索姆斯沉默片刻，说，“我跟你说说他们三个的基本情况吧。住在底楼的是吉尔。他学习成绩不错，还是个优秀的运动员。他参加了学院的橄榄球队和板球队，跨栏和跳远也拿过奖。他本来家境不错，爸爸是个爵士，可他爸爸因为沉迷赌博，把家底都败光了，现在家里穷得很。好在这个学生很刻苦，将来一定会有出息的。住在中间楼层的，就是我提到的那位印度学生。他沉默寡言，但为人稳重。住在最顶层的学生叫麦克拉伦。他是三个学生里最有才华的，但心思没用在学习上，任性散漫，之前还差点儿被学校开除呢！对于明天的考试，他应该是心里最没底的。”

“那你是**怀疑**麦克拉伦吗？”福尔摩斯立即追问道。

“也不能这么说吧……”索姆斯有些为难地说，“我只是说，从表面上看，他的可能性大一些。”

“你说得很有道理。”福尔摩斯话锋一转，“那么，请让我见见你的仆人班尼斯特吧！”

这个仆人跟了索姆斯整整十年，五十多岁，个子不高，脸色苍白，满头银发，胡子倒是刮得干干净净。这会儿，他大概是太**紧张**了，圆圆的脸颊不停地抽搐着，浑身抖个不停。

福尔摩斯不露声色地问道："我听说，你把钥匙忘在门上了？"

老仆人捂着胸口，表情痛苦地回答道："我……大概四点半的时候，我给索姆斯先生送茶，看到先生不在，就赶紧退了出来。结果……出来时忘了拔钥匙。唉，这种事……也不是头一回了，我真是老糊涂了……可我绝对没碰那些卷子，连桌子都没靠近……"

这番看似诚恳的回答似乎并没有打动福尔摩斯，他又问："听说，索姆斯先生跟你说了考卷被偷看的事，你当时就觉得身体不舒服，那时候……你在哪里？"

"我……我就在刚进门的地方。我真是……太愧疚了。"

福尔摩斯抬眼看着他，说："这就奇怪了，你在进门的时候觉得不舒服，为什么不在门口的椅子上坐下，而是要绕过面前的几把椅子，坐到窗边去呢？"

老仆人眼泪汪汪，仿佛遭受了极大的屈辱："我……我不知道，我没注意自己坐在哪里。我只待了一小会儿……就回自己的房间躺着了。"

"谢谢你。"福尔摩斯冷冷地说，"哦，你后来有告诉那三个大学生，试卷被人偷看的事情吗？你今天见到过他们吗？"

“没没没！都没有！怎么可能呢？”老仆人连忙摆手，身体下意识地边往后撤边说，“我可是一个字都不敢透露啊！”

“既然这样……”福尔摩斯扭头说道，“索姆斯先生，你可以陪我到院子里走走吗？”

夜色渐浓，福尔摩斯盯着楼上三扇亮堂堂的窗子说：“呵！看来三只小鸟都回窝了呀。瞧，那个印度学生好像看起来**坐立不安**，他不停地在屋里走来走去。这样吧，我能见见他们三位吗？就说是参观房间。”

“当然可以！”索姆斯立即回答，“这是学院里的老宅子，隔三岔五地就有游客来参观，他们早就习惯了。”

索姆斯领着福尔摩斯和华生，先是来到了热爱运动的吉尔门前。一位瘦高的帅小伙开了门。

福尔摩斯看着屋里精美的古建筑模型，流露出一副痴迷的表情，他掏出笔记本和铅笔，唰唰唰地在纸上画了起来。

“哎呀！”福尔摩斯突然小声叫道，“我的笔不小心折断了。年轻人，你能否借我一支**铅笔**和一把**削笔刀**呢？”

同样的戏码，福尔摩斯在印度学生的房间里又表演了一番。

但是，到了最顶层，福尔摩斯却吃了个闭门羹。屋里的麦克拉伦不仅没开门，还吵吵嚷嚷着说了些不好听的话：“我可不管你们是从哪里来的！都给我离远点！明天就要考试了，谁也别来烦我！”

索姆斯气得满脸通红，在回家的路上**喋喋不休**：“他真是太无礼了！就算不知道外面的人是谁，他也不能这么粗鲁吧？我看最可疑的就是他！”

福尔摩斯并没有接他的话茬，而是提了个无关的问题：“你能告诉我，麦克拉伦有多高吗？”

索姆斯停下脚步，托着下巴想了一会儿，说：“他呀……具体身高我说不准，不过，他比那个印度人高，但又比吉尔

矮一点儿。可是，这很重要吗？”

“很重要。”福尔摩斯不露声色地说，“晚安，索姆斯先生，我们明天见！”

“天哪！”索姆斯既惊讶又绝望，“不！福尔摩斯先生，你可千万不能就这么丢下我呀！明天就要考试了，不找出那个小偷，我根本不知道该怎么办哪！”

“别急。”福尔摩斯拍着索姆斯的肩膀说，“我先把黑色的**小泥团**和**铅笔屑**带走，明天早上会来给你答案的。你现在什么都不用做，早点儿休息吧。”

“好……好吧……”索姆斯无奈地说。

当福尔摩斯和华生从庭院经过时，他们发现楼上的窗户有两扇已经黑漆漆的了，只有印度学生的屋子里还没有熄灯，而他仍然在不停地**踱来踱去**。

“华生，你怎么看？”福尔摩斯突然问，“假设我们在玩纸牌游戏，三张牌代表他们三个学生，你从里面随便挑一张，你会挑哪一张？”

华生低头想了一会儿，说：“我猜，如果不是住在顶楼的那个态度很差的学生，就是那个不停走来走去的印度学生，他们两个都太奇怪了……”

“这倒没什么。如果考试前被人打扰，也难免发脾气。而人们在专心背书的时候，通常会走来走去，对吧？但我始终想不明白的是他……”

“谁？”

“班尼斯特，那个**老仆人**！他虽然看起来老实，但我总觉得他好像在悄悄搞什么名堂……”

第二天一大早，还没等华生洗漱完，福尔摩斯就闯了进来，一脸神秘地晃着拳头，说：“你看！”

他摊开手掌，三个金字塔形状的黑色**小泥团**静静地躺在上面。

“咦？”华生瞬间瞪圆了眼睛，惊讶地问道，“昨天不是只有两个吗？”

“对！”福尔摩斯满意地笑着说，“今天早上我找到了第三个小泥团，应该说，我是找到了这些小泥团的来源。走！我们赶紧去‘救救’索姆斯先生吧！”

当两人赶到圣路加学院时，可怜的索姆斯正紧张得直搓手，他嘴里念念有词：“怎么办？怎么办？考试马上就要开始了。是公布这件事情呢，还是放任作弊者逍遥自在地参加考试？”正在他**左右为难**的时候，他用余光瞥见了福尔摩斯和华生。“哦，天哪！我的救命恩人，你们两位可算来了！请赶快告诉我吧，这考试还能正常进行吗？”索姆斯激动得大声喊道。

“没问题！”

“可那作弊的家伙还没被揪出来……”

“放心，他**不会参加考试**的。”

“哦？”索姆斯又惊又喜，“莫非……你知道是谁了？”

福尔摩斯点点头，说：“心里大概有数了。但现在，我还需要你们的配合……”

随后，三人凑在一起说了几句悄悄话。接下来，奇怪的一幕出现了：福尔摩斯端坐在中间的扶手椅上，华生和索姆斯一左一右坐在两旁，三人表情肃穆，仿佛组成了一个**小小的法庭**。

丁零丁零！随着一阵清脆的铃声响起，老仆人班尼斯特被叫了进来。

“请把门关上！”福尔摩斯用老鹰般锐利的眼睛盯着他说，“班尼斯特，你告诉我们全部真相了吗？”

老仆人浑身颤抖着说：“对，我全……全说了。”

“不，你没有！昨天你坐在窗边那把椅子上，不就是为了

遮掩什么吗？呵呵，是那个偷看考卷的学生落下的东西吧？等索姆斯先生一转身，你就把藏在卧室里的那个学生放出去了，对吗？”

老仆人吓得脸色惨白，一下子跪在地毯上。“不不不！卧室里根本没有人！”他舔着干裂的嘴唇一遍遍强调，“对……没有人……”

“班尼斯特，你什么都不用说了。现在麻烦你先站到一边去吧。”福尔摩斯扭头对索姆斯说，“先生，请你把那个热爱运动的吉尔请下来吧。”

没过多久，索姆斯就带着吉尔过来了。吉尔是个热情阳光的瘦高小伙子，但看到眼前这架势，他不安地打量着屋里的每个人。他那**茫然无措**的目光，最终落在了角落里的老仆人身上。

“请把门关上！”福尔摩斯平静地吩咐吉尔。一场特殊的审判即将开始……

“吉尔先生！”福尔摩斯严厉地责问，“你作为一个诚实的学生，怎么能做出昨天那样丢人的事情？”

这位可怜的小伙子踉跄着后退了一步，惊恐而又怨恨地瞥了老仆人一眼。

“不！”角落里的老仆人疯狂地摇头，像疯了一样大叫起来，“吉尔先生，我什么都没说！一个字都没说！”

“但你现在说了。”福尔摩斯看了老仆人一眼，又平静地望向吉尔说，“年轻人，事已至此，你已经没什么好辩解的了。老老实实说出真相吧，这是你**唯一的出路**。”

“啊……”吉尔痛苦地喊了一声，嘴角不停地抽搐，紧接着，他扑通一声跪在桌子旁，一只手紧紧捂住双眼，两行泪水簌簌地流了下来。

“好了！好了！不要这样。”福尔摩斯语气缓和了一些，安慰道，“谁不会犯错呢？年轻人，你不是**无可救药**的惯犯，先冷静一下。现在，就让我来为大家说明一切吧，要是哪里说错了，你随时可以纠正，好吗？”

接下来，福尔摩斯清了清嗓子，**慢条斯理**地讲了起来：“事情是这样的。从一开始，我就把送试卷过来的印刷工排除在外了，因为他如果想看卷子，在自己的办公室就可以毫无顾忌地看。至于那位印度学生嘛，我想他找老师的时候，应该不知道卷成一卷的东西究竟是什么。所以，他当然也就不会溜进屋子里偷看。那么，谁能偶然发现桌上的试卷呢？只能是有人从窗外经过的时候正好看到了。我特意到庭

院里去试过，目的是要估算一下多高的人才能透过窗子看到卷子。我自己嘛，得费很大劲才能看到，所以能轻松看到卷子的人，肯定得比我还高。这样一个猜想就产生了：他是个**大高个**。”

“但仅凭这点，并不能断定这个人就是吉尔啊！”一旁的索姆斯忍不住说。

福尔摩斯耸了耸肩，说：“当你告诉我他还是个跳远运动员时，我一下子就都清楚了！整件事情的经过是这样的：那天下午，吉尔在操场练习跳远。他回来时，手里提着**跳远鞋**，这种鞋的鞋底一般都有尖钉。他个子很高，**轻而易举**地就看到了桌上的试卷。他经过你门前时，心里蠢蠢欲动，又恰巧看到了插在门上的钥匙。这下，他没忍住，偷偷摸摸地开门进去。当他确认了那就是奖学金考试的卷子时，他随手把手里的跳远鞋放在书桌上，掏出铅笔飞快地抄写起来。哦，对了，年轻人，你还把什么东西放在窗边的椅子上了？”

“手……手套。”吉尔吞吞吐吐地说。

“对，就是手套。”福尔摩斯笑了笑，一副**了然于心**的样子，“你把考卷拿到窗边的桌子上抄写，因为你以为老师回来的时候会经过庭院，这样你就能提前发现。还有，你抄写的时候太紧张了，不小心把铅笔芯折断了，所以你又手忙脚乱地削了一会儿铅笔。但令你措手不及的是，索姆斯老师回来时走的是侧门，根本没经过庭院。等你听到老师的脚步声时，他已经到门口了。这下你逃不掉了，只好匆忙抓起跳远鞋躲进卧室。你那鞋子上有铁钉，所以在书桌上划出了一道划痕，一头浅、一头深，深的那头正好朝着卧室方向。至于手套嘛，你来不及拿，落在了窗边的椅子上。老仆人被索姆斯叫过去的时候，之所以一直坐在那把椅子上，就是为了遮住那副手套。至于现场发现的两个黑色**小泥团**，是从你的跳远鞋上掉下来的吧？它们那金字塔的形状就是在鞋底印出来的。今天一大早，我去操场看过了，跳远坑里果然有这样的黑色黏土，上面还撒着锯木屑。”

听到这里，吉尔倏地站了起来，哽咽着说：“是的……福尔摩斯先生，您说的一点儿没错……其实……这件事情让我惭愧极了，我一晚上都没睡着。今天早上，在你们叫我过来之前，我已经给老师写了一封信，我决定**不参加考试**。我……我要动身去南非工作了。我收到了那边发来的任职通知书。”

“知错能改，还是好孩子！”索姆斯老师的脸上露出了欣慰的笑容，“可是，你怎么会突然改变主意了呢？”

吉尔指了指一旁的老仆人，说：“是他把我领上了**正路**，劝我不要参加考试。”

“哦？”福尔摩斯把视线转向老仆人。

这位老仆人心情轻松了许多，憨厚地笑了笑，说：“我以前在吉尔家当过管家，他家破产后，我才到学院做了仆人。吉尔来这所学院后，我一直尽可能地照顾他。昨天，索姆斯先生喊我上去的时候，我一进房间，就看到了那双熟悉的黄手套。还能怎么办呢？我只好一屁股坐了上去！直到索姆斯先生出去找你们帮忙，我才把那可怜的小主人放走了。但我无论如何也不能眼睁睁地看着他**误入歧途**啊，所以……”

福尔摩斯笑着走到吉尔身边，拍拍他的肩膀，说：“年轻人，跌倒了一次，并不会影响你未来**展翅高飞**！去吧，好孩子，动身去南非，你的福气还在后头呢！”

大侦探
福尔摩斯

图书在版编目（CIP）数据

大侦探福尔摩斯．归来记／（英）柯南·道尔（Arthur Conan Doyle）著；喵博士改编．—南京：译林出版社，2022.4（2022.6重印）
ISBN 978-7-5447-8993-6

Ⅰ.①大…　Ⅱ.①柯…　②喵…　Ⅲ.①侦探小说－小说集－英国－现代　Ⅳ.①I561.45

中国版本图书馆CIP数据核字（2021）第260728号

大侦探福尔摩斯：归来记［英国］柯南·道尔／著
喵博士／改编

策　　划　彭　波　龚文宇
本册撰写　陈丹丹　何　敏　李　享
责任编辑　朱旭玲
装帧设计　宸唐工作室
校　　对　蒋　燕　孙玉兰
插　　图　妙象童画
责任印制　颜　亮

出版发行　译林出版社
地　　址　南京市湖南路1号A楼
邮　　箱　yilin@yilin.com
网　　址　www.yilin.com
市场热线　025-86633278
排　　版　宸唐工作室
印　　刷　南京新世纪联盟印务有限公司
开　　本　890毫米×1240毫米　1/32
印　　张　4.5
版　　次　2022年4月第1版
印　　次　2022年6月第3次印刷
书　　号　ISBN 978-7-5447-8993-6
定　　价　28.00元

SHERLOCK
HOLMES